Je suis à l'Est !

Josef Schovanec
avec Caroline Glorion

Je suis à l'Est !

Savant et autiste : un témoignage unique

Préface de
Jean Claude Ameisen

Avant-propos de
Sophie Révil

PLON
www.plon.fr

Préface

Il arrive, parfois, qu'une rencontre nous marque profondément, très au-delà de ce que nous pouvions en attendre.

C'est ce qui s'est produit, pour moi, avec Josef Schovanec

La première fois que nous nous sommes vus, je sortais d'une conférence au musée Pompidou, à Beaubourg, il devait être 22 heures, et j'avais rendez-vous au premier étage d'un café, à une centaine de mètres du musée.

J'étais, à cette période, rapporteur d'un avis du Comité consultatif national d'éthique qui allait être rendu public – ou qui venait de l'être –, l'avis 102, « Sur la situation, en France, des personnes, enfants et adultes, atteintes d'autisme ».

J'avais, durant l'année, rencontré des membres de nombreuses associations de familles de personnes avec autisme, et je venais d'être contacté par deux responsables d'une autre association pour discuter de la situation particulière des personnes avec syndrome d'Asperger.

Josef était là. Nous avons parlé pendant une heure

J'ai revu Josef à plusieurs reprises. Plus je le voyais, plus je l'écoutais, plus nous parlions ensemble, et plus je

7

découvrais un homme d'une sensibilité, d'une intelligence de cœur et d'esprit, et d'une culture extraordinaire.

Ce qui avait été une rencontre uniquement motivée par un souci de mieux connaître les obstacles que la société met à l'accès des personnes avec autisme à leurs droits fondamentaux – leur droit à la scolarisation et à une éduction adaptée, leur droit à un emploi, leur droit de vivre avec les autres, parmi les autres – était devenu une rencontre avec un homme.

Et nous avons noué de profonds liens d'amitié, Fabienne, ma femme, et moi, avec Josef.

On dit de Josef qu'il *a* un syndrome d'Asperger, qu'il vit *avec* un syndrome d'Asperger, qu'il *est* Asperger...

Mais qu'est-ce que cela signifie ?

Nous sommes tous singuliers, quels que soient les noms que nous donnons à certaines de nos singularités. « Nommer, dit Maurice Blanchot, cette violence qui met de côté ce qui est nommé au profit de la commodité d'un nom. »

Dans *Identité et violence, l'illusion d'une destinée*, Amartya Sen développe une réflexion sur le risque d'enfermement des personnes dans l'une de leurs « identités ». Nous avons tous, dit Sen, des identités multiples et changeantes, au cours de notre existence et en fonction de nos relations – identités familiale, professionnelle, culturelle, biologique, philosophique, régionale, spirituelle... Et la tentation d'enfermer des personnes, ou de les laisser s'enfermer, dans l'une de ces multiples identités comme si c'était la seule constitue pour Sen la source majeure de discrimination et de violence dans le monde. Une personne, dit-il, est toujours plus, toujours autre, que ce qu'on peut – et que ce qu'elle peut elle-même – appréhender. Et c'est cette part essentielle, qui échappe à toute description, qui fait de chaque personne à la fois une personne à nulle autre pareille et l'égale de toutes les autres.

Comment découvrir la richesse et la singularité des mondes intérieurs qui nous semblent inaccessibles ?

Il y a les récits écrits par ceux qui les vivent. *Je suis né un jour bleu*, de Daniel Tammet : « Je suis né un mercredi. Je sais que c'était un mercredi, parce que la date est bleue, dans mon esprit, et les mercredis sont toujours bleus, comme le nombre neuf, ou le son des voix bruyantes en train de se disputer. »

Il y a *La Femme qui tremble*, de Siri Hustvedt : « Un jour, en mai 2006, je me suis levée sous un ciel bleu sans nuage, et j'ai commencé à parler. Dès que j'ai ouvert la bouche, je me suis mise à trembler violemment. J'ai tremblé ce jour-là, et puis j'ai tremblé à nouveau d'autres fois. Je suis la femme qui tremble. »

Des récits de courage. Il faut « oser la faiblesse, aller sans carapace, nu devant l'existence », dit Alexandre Jollien, auteur d'*Éloge de la faiblesse*.

Il y a le dernier livre du neurologue et écrivain Oliver Sacks, *L'Œil de l'esprit*, dans lequel il nous révèle que, depuis son enfance, il ne reconnaît pas les visages. Ni les lieux. Ni même son propre visage dans le miroir. Les visages et les lieux sont pour lui, depuis toujours, des labyrinthes sans fin dans lesquels il se perd.

Que nous dit, d'Oliver Sacks, cette singularité ? Les difficultés qu'il a vécues depuis l'enfance, l'incompréhension de la plupart de ceux qu'il rencontre, qui le croient méprisant ou indifférent, et le travail considérable qu'il a accompli pour compenser ce handicap. Et ceci encore : que cette incapacité à inscrire dans sa mémoire les traits des visages a peut-être contribué à l'engager dans cet extraordinaire élan vers l'autre, et dans cette quête de ce qu'Emmanuel Levinas appelait le véritable visage. Ce visage invisible, si intime que seul l'œil de l'esprit et du cœur peut s'en approcher.

Je suis à l'Est !

Et il en est de même pour Josef.

Cette singularité est une part de ce qu'il est, sa part de vulnérabilité, mais elle est aussi sa richesse, cet immense travail qu'il accomplit sur lui-même, et la profondeur du regard qu'il porte sur le monde, sur lui-même et sur les autres. Muet, enfant, alors qu'il savait déjà lire et écrire, il a fait de l'étude des langues une passion, une éthique, qui le mène à la rencontre de l'autre, essayant de le comprendre à partir de ce qu'il a de plus intime, et tentant, aussi, de préserver le trésor si fragile qu'est chacune de ces langues dans sa singularité.

L'éthique, dit Paul Ricœur, consiste à se penser « soi-même comme un autre ». Pas se contenter de penser l'autre comme s'il était nous-même, mais avoir l'humilité de devoir s'imaginer « soi-même comme un autre », que l'on ne connaît pas, et qu'il va falloir découvrir en allant à sa rencontre. L'autre, toujours à découvrir, toujours à reconnaître, toujours à réinventer. Comme un manque, en nous, de la part de nous qui est dans tous les autres.

Josef Schovanec m'a permis, par l'intermédiaire de son regard, de découvrir une dimension de la réalité qui m'était jusque-là demeurée inconnue.

C'est un livre bouleversant. D'une exceptionnelle délicatesse, d'une extrême émotion. Un extraordinaire récit d'aventures, empli d'esprit, d'élégance, de courage, de la distance de l'humour et de la profondeur d'une culture sans frontière.

Une leçon de vie. Une leçon d'humanité.

Jean Claude AMEISEN,
médecin et chercheur,
membre du Comité consultatif national d'éthique

Avant-propos

Un soir, dans un gymnase de banlieue, une conférence est donnée par un personnage tout droit sorti d'un film de Tim Burton, grand échalas à l'allure si étrange. La voix est lente, l'accent est d'ailleurs, les mots sont précis, l'humour est féroce et la salle rit beaucoup.

Démarrant une enquête pour les besoins de mon film[1], j'ai une connaissance de l'autisme et des autistes alors proche de zéro. Cette première rencontre avec Josef Schovanec va bousculer bien des *a priori* et déterminer pour une bonne part le sens de mon travail. Elle a été une révélation autant qu'une découverte. D'abord celle d'un homme brillant, plein d'esprit, à la parole ciselée et d'une humanité aussi touchante que désarmante. Ensuite la découverte de ce qui m'apparaîtra vite comme un scandale de santé publique, celui qui fait de la France l'un des pays les plus en retard dans le diagnostic de l'autisme, comme dans le traitement et l'accompagnement des personnes porteuses de ce handicap.

---

1. *Le Cerveau d'Hugo*, documentaire-fiction coproduit avec France 2.

Atteint du syndrome d'Asperger, Josef Schovanec est resté muet jusqu'à l'âge de six ans. Ses difficultés d'élocution étaient si fortes que seul son entourage proche pouvait le comprendre. Il est même probable que sans la détermination de ses parents à ne pas accepter la thèse d'un traumatisme psychique irréversible, ce silence l'aurait conduit dans un hôpital psychiatrique et nous aurait sans doute privés à jamais d'une intelligence hors du commun.

Car cet enfant qui n'était pas jugé apte à entrer en CP, cet adolescent si souvent traité d'idiot, de taré ou de débile mental, cet homme qui a tant de mal à dire bonjour, à entrer dans un café et pour qui l'acte quotidien le plus anodin comme acheter son pain ou passer un coup de téléphone devient une source d'angoisse insurmontable est sorti diplômé de Sciences Po Paris, est aujourd'hui docteur en philosophie, parle couramment de nombreuses langues, écrit des discours et donne des conférences dans le monde entier.

Mais pour un Josef Schovanec qui a eu l'immense chance d'être entouré et a trouvé la force de ne jamais se résigner, combien de milliers d'enfants autistes non diagnostiqués avant l'âge de six ans et condamnés à une prison du silence à vie ?

Reviennent alors des bouts de notre propre mémoire, une cour d'école, un enfant seul dans un coin, étrangement habillé, silencieux, le regard fuyant, celui ou celle à qui on ne parlait pas, proie idéale des pires vexations et humiliations. Dans ce monde dont il ne comprend pas les codes, c'est en se rendant compte qu'il était le seul élève de sa classe à se faire systématiquement tabasser à la récréation que Josef Schovanec a pris conscience de sa différence.

Mais la plainte n'est jamais le registre de Josef Schovanec comme de tous les autistes que j'ai rencontrés. Leur mise

Avant-propos

à l'écart systématique de tous les lieux de vie, l'école, la bibliothèque, la piscine, l'université, l'entreprise, crée d'immenses souffrances, mais jamais de rancœur. Jamais d'agressivité. Au contraire, une curiosité, une extrême et même délicate attention à l'autre, dans une franchise et une candeur souvent désarmantes. Comme des mots d'adultes sur des attitudes d'enfants.

Josef Schovanec a fait de son handicap un atout. Personnalité très attachante, il n'oublie jamais d'où il vient. Cet homme qui se sent apatride les jours de déprime et citoyen du monde les jours où ça pétille nous délivre ici une magnifique leçon d'humanité.

Sophie RÉVIL,
productrice

En guise d'introduction

Pourquoi les livres ont-ils souvent une introduction ? Je n'en sais rien. J'ai participé, fin 2008, à un colloque à l'université de Tallinn entièrement consacré au sujet. Et, à vrai dire, je n'en sais pas davantage depuis ! Mais, alors que j'écris les premières lignes de ce livre, le souvenir de ce déplacement dans cette partie du monde m'envahit comme une forme d'introduction vivante : une nuit glaciale de décembre à peine interrompue par quelques lueurs du midi, une langue non indo-européenne si intrigante, toute une découverte qui allait donner naissance à un deuxième voyage, un peu plus long, et à de nombreux autres. Aujourd'hui, à l'heure où mes pas me mènent ailleurs, par-dessus les images des trottoirs de la vie, je vois toujours et encore celles de la vieille ville de Tallinn, des paysages de Livonie et de Courlande. Un rêve telle une petite histoire de l'autisme en quelque sorte imprévue, inhabituelle, bref, vécue.

(Dé) finissons avec l'autisme

Avec l'introduction, les ouvrages doivent se livrer à un autre exercice : définir leur sujet. Ou objet, je me perds toujours entre les deux termes, explications et étymologies ne m'étant d'aucun secours. Quoi qu'il en soit, comment pourrais-je définir l'autisme ? À renfort de citations issues de manuels médicaux ? De grandes affirmations péremptoires ? Une fois encore, je ne sais pas. Je peux tout au plus tenter d'avoir recours à la petite histoire, aux petites histoires des gens. N'est-ce pas, après tout, ainsi que, sous la plume d'Hérodote, naquit ce que nous nommons la grande histoire ? Laquelle, prenant un « H » majuscule, bientôt affublée de -ismes, allait déboucher sur une machine à traquer l'anormal, là où le natif d'Halicarnasse devenu athénien d'adoption voulait narrer les vies, sérieuses et invraisemblables, de tous, des Grecs comme des Barbares. Curiosité qui lui valut durant des siècles une réputation de simple d'esprit.

Commençons par là précisément. L'autiste est avant tout, d'après un consensus général, un benêt. Ou plutôt un demeuré. Une « personne avec un handicap mental », quand le discours doit paraître érudit. « Personne en situation de handicap mental » pour les plus raffinés, en attendant une formulation encore plus longue, qui ne saurait tarder à apparaître sur la Toile. Une andouille, un crétin, un taré, dès lors que la loi de la chaumière reprend sa primauté sur celle de la blouse blanche. Sans même évoquer les termes de la cour de récréation, une évocation d'autant plus inutile que, dans le fond de son cœur, chacun aura formulé ces termes en premier.

Tant d'histoires pourraient être contées à ce propos. Chaque jour en apporte de nouvelles. Je dois l'avouer : de l'avis de ceux qui me rencontrent pour la première fois, je suis idiot. Profondément idiot. On m'a dit que mon seul espoir en pareilles circonstances était de ne pas ouvrir la bouche, et d'espérer que l'autre remarque mon regard, qui, paraît-il, refléterait encore quelques traces d'activité neuronale intelligente. Car je parle en idiot. Trop lentement. Avec de forts accents étrangers – l'une de mes petites joies est d'ailleurs d'écouter les gens essayer de deviner quelle est mon origine, laquelle va de la Bretagne à la Poldévie orientale, en passant bien sûr par le Luxembourg, la Roumanie ou autres régions reculées de Suisse aux patois proto-rétro-rhéto-alémanico-romanches indéfinissables. Certains, que je connais pourtant depuis des années, pensent toujours que je leur ai menti, et que je ne serais né ni en France ni à Hawaii comme Obama, mais en quelque localité orientale ; mais ils me pardonnent volontiers ce petit mensonge sur mes origines que nulle preuve, nul acte de naissance ne peuvent réfuter, et c'est à mes yeux le principal. Ces petits voyages virtuels ne sont pas le seul avantage de mon idiotie : d'aucuns sont étrangement gentils avec moi. Telle caissière m'explique, parlant lentement pour que je comprenne, comment prendre le sachet avec les articles qu'elle a gentiment mis dedans. Dans tel aéroport, des employés me tiennent compagnie jusqu'à mon entrée dans l'avion, sans explication.

Mais la langue n'est pas seule en cause. Mes gestes sont inadaptés. Rien à faire. Un ami, réalisateur de films et figure de la vie culturelle parisienne, m'a avoué que j'étais parfait tant que je ne bougeais pas. Là encore, chacun l'explique comme il peut. Beaucoup pensent que je suis membre du clergé. Dix fois par an, on me demande si je suis curé. Face à mes dénégations, on se rabat parfois sur séminariste. Las, je suis loin d'une telle sainteté. Des amis juifs, quant à eux, me soupçonnent d'être soit rabbin, soit en passe de le devenir. On me fait remarquer que, élève d'une école talmudique, je me devrais de porter la kippa. Une ancienne camarade de classe m'a rapporté qu'à l'issue d'un conciliabule de couloir avec la prof, on avait conclu que j'étais plus juif que juif, mais sans le savoir. D'autres ont une explication différente : je suis homosexuel. C'est évident. Il suffit de regarder comment je marche. Si je me rends un jour en Arabie Saoudite, il faudra donc que je fasse attention. Que j'apprenne à marcher comme un pingouin. Quitte à être expulsé vers de plus rafraîchissantes latitudes ?

Il m'arrive de parler, malgré tout. D'évoquer l'autisme. Alors, immédiatement, certains inversent leur stance. D'idiot, je deviens petit génie. Ce qui, en dernière instance, revient psychologiquement au même, aptitude à l'extraction de racines treizièmes exceptée. Les gens lèvent la tête et me regardent quand je dis que je suis un ancien de Sciences Po Paris. Et docteur en philosophie. Certains, là encore, ne le croient pas.

Faut-il s'en offusquer ? Fustiger la méconnaissance, certes dramatique, de l'autisme ? Pleurer le délabrement de la société ? J'y vois plutôt autant de facettes d'une personne, autiste ou non, bien que je sois ici plutôt appelé à parler de la première épithète. Et de songer à cette phrase d'un personnage peu connu en France, Saul Alinsky : « Un type m'a dit un jour que j'étais un marxiste, financé par l'Église catholique romaine et l'Église presbytérienne, et qui reprenait les méthodes du gang d'Al Capone... Remarquez, je trouve le mélange intéressant. »

Samarkand, sur la route des soi(e)s,
le 11 septembre 2012

1

L'enfance

Dans certaines cultures anciennes, comme celle des Inuits, un genre littéraire bien étrange à première vue était répandu : les souvenirs de la naissance, voire de la vie intra-utérine. Je me remémorerais longtemps l'effet que me procura, imprévue, au détour d'un colloque, la rencontre de l'un de leurs plus éminents connaisseurs, Bernard Saladin d'Anglure, qui put les recueillir au Nunavik[1] peu avant leur oubli. Personnellement, je n'ai conservé aucun souvenir fiable et distinct de ces premiers temps... Quelques images peut-être, mais comment s'assurer de leur véracité ? Ma sœur, plus chanceuse, se remémore des instants de sa plus tendre enfance. Moins précoce, son petit frère ne sait que raconter.

La plupart de mes vieux souvenirs sont liés aux paysages de la Suisse. Très peu de visages ou de personnes, autrement que par leur silhouette lorsque celle-ci avait un trait qui la rendait aisément identifiable. La Suisse reviendra sans doute à plusieurs reprises dans ces pages. Je ne suis pas citoyen helvétique, ni ne détiens de compte bancaire en ces lieux. Simplement, de longues vacances passées

---

1. Territoire québécois des Inuits au pôle Nord.

dans les Alpes de la Suisse alémanique ont façonné mon enfance, et je ne saurais les oublier.

Parler, manger : premiers apprentissages

On raconte que, à l'accueil de nombre de monastères bouddhistes, on demande d'abord au postulant s'il est humain ou s'il s'agit d'un esprit. Dans nos cultures occidentales, le critère d'humanité varie. Un consensus semble émerger autour de l'aptitude au langage. Dans le test de Turing, que pour le moment nul ordinateur n'a franchi, l'opérateur doit être incapable de distinguer, dans une conversation, lequel de ses interlocuteurs est humain et lequel est une machine. Critère fort sage en apparence. Supposons toutefois que j'aie soit été sur ce point encore plus entêté que d'ordinaire, soit que les aléas environnementaux l'aient décidé pour moi, bref, je n'ai pas parlé du tout pendant plusieurs années. Serais-je humain ? Prophétie autoréalisatrice, notons-le bien, car un enfant jugé inapte à la parole ne bénéficiera souvent pas de son apprentissage, et de ce fait le deviendra effectivement.

J'ai eu la chance d'apprendre à parler, tant bien que mal. Je ne peux pas dire à quel moment j'ai commencé. L'amélioration progressive de mon élocution est restée relativement compliquée pendant longtemps – jusqu'à maintenant, diront les mauvaises langues comme la mienne. Vers l'âge de six ou sept ans, un étroit cercle familial – mes parents, ma sœur – pouvait comprendre ce que je disais, mais les autres avaient beaucoup de mal ; je me souviens encore de scènes où la personne me faisait répéter encore et encore pour comprendre ma phrase, avant de se tourner vers mes parents pour l'« interprétation ».

Avant d'exiger quoi que ce soit d'un enfant, il faut d'abord s'entendre sur ce que « parler » veut dire. Veut-on que l'enfant émette des sons comme le font les adultes ? Comme les enfants de son âge le font ou sont censés le faire ? Veut-on qu'il comprenne les choses ? Si oui, lesquelles ? Ces interrogations sont loin d'être oiseuses. Un enfant sachant lire des chartes médiévales en latin et les commenter par écrit, tout en ne sachant pas parler, est-il un attardé mental ? Et si le même enfant n'avait jamais été mis face à une charte médiévale en latin ? Nous nous acheminons peu à peu vers la question qui hante la scolarité : si vous ne savez ni jouer au cerceau, ni nouer vos lacets, mais que vous vous passionnez pour le calcul différentiel, avez-vous les compétences pour passer en année supérieure de maternelle ? Êtes-vous bien « entré dans les apprentissages », comme on dit, sous-entendu ceux de la maîtresse ?

Je n'ai assurément pas eu un profil aussi atypique que certains enfants autistes. Pourtant, j'ai eu mes spécificités, pour le dire de manière diplomatique. Des choses dont aujourd'hui on a loisir de sourire, et qui pourtant représentaient alors autant de petits drames. À mes troubles d'élocution s'ajoutaient d'autres problèmes. Quand je parlais, je racontais des choses que, même avec une diction parfaite, beaucoup d'interlocuteurs n'auraient probablement pas comprises. Des listes de noms d'étoiles par exemple. Supposons que vous soyez psychologue. On amène un enfant autiste dans votre cabinet, qui commence par ces mots : « Alnitak, Alnilam, Mintaka. » Concluriez-vous à quelque forme de psychose infantile ? D'autisme compromettant toute communication humaine ? Ou bien, reconnaîtrez-vous les noms de trois étoiles de la ceinture d'Orion et entamerez-vous un riche échange astronomique ? Situation vécue, non avec un psychologue, mais avec d'autres personnes. Ou que dire de cette dame, amie de mes parents, avec qui je m'étais retrouvé seul quelques instants, et à qui j'ai demandé en tchèque les raisons pour lesquelles la France n'était pas redevenue une monarchie. Après les inévitables répétitions pour qu'elle comprenne mon babil, elle est restée silencieuse. On ne tient pas de semblables conversations avec des enfants sachant à peine marcher. Autre souvenir analogue : mes parents, d'origine tchèque, assistaient régulièrement à des rencontres de la toute petite communauté tchèque à Paris. J'y faisais parfois des « exposés » sur ce qui m'intéressait, à savoir l'astronomie, cette grande passion à laquelle j'ai consacré tant d'années dès mes sept ou huit ans. Les gens étaient peut-être amusés de voir un gamin haut comme trois pommes leur parler des particularités de telle ou telle étoile ; plus vraisemblablement, ils n'y accordaient aucun intérêt, pensant avoir affaire à un enfant agité de plus. Peut-être qu'un psychiatre, assistant à la scène, m'aurait offert des molécules susceptibles de m'aider face à cette psychose interstellaire. J'étais toutefois à la même époque quasiment inapte au discours social, celui qui crée des liens et, plus fondamentalement, fait passer son auteur pour humain et sain d'esprit.

Écrire, je le crois, est plus facile que parler. La synchronisation des mouvements est moins ardue. Vous pouvez ralentir et arrêter si vous le souhaitez. Et ce même avant l'arrivée de ces claviers où il suffit de presser une touche. Est-ce pour cela que, avec d'autres enfants autistes, je crois bien avoir su lire et écrire avant de savoir parler « comme il faut » ? Je ne sais. Pour l'heure, je n'ai pas encore lu d'études sur la question.

Je suis incapable de dire quand et comment j'ai appris à lire et écrire. Ne subsistent que quelques marques temporelles. Pour mon deuxième anniversaire ou pour Noël, en décembre 1983, mes parents avaient reçu un colis. Des amis nous avaient envoyé, à ma sœur et à moi, des cadeaux avec notamment des camions que l'on offre généralement aux garçons, ainsi qu'une espèce de petite peluche conçue pour les bébés ou les très jeunes enfants. On conserve encore, dans le stock des archives familiales, un dessin – certes fort rudimentaire mais guère moins évolué que les gribouillages dont je suis capable aujourd'hui – que j'avais fait de cette petite poupée peluche, sur lequel j'avais marqué sa date de « naissance » (arrivée) et quelques autres mots. En lettres majuscules en inversant certaines lettres, par exemple un « A » la tête en bas. La gauche et la droite sont assez difficiles à distinguer pour moi, soit dit en passant, comme l'Est et l'Ouest ; je crois avoir une petite idée de la carte de l'Europe, mais si vous me demandez de citer un pays à l'ouest de l'Allemagne, vous aurez droit à un silence gêné de plusieurs secondes, le temps que je me représente correctement la position de l'Est sur la carte.

Au verso du même dessin, une autre particularité de ce que j'avais écrit : « Pour les petits enfants – Écris ton nom ». Puis, j'avais écrit « Schovanec », mon nom de famille. D'ordinaire, les bambins de deux ans, quand ils savent parler ou écrire, ne s'autodésignent pas par leur nom de famille mais par leur prénom, voire un pseudonyme, un surnom.

Mon apprentissage s'est donc fait par le biais de la lecture et de l'écriture. Et jusqu'à maintenant, accéder à un texte est généralement plus aisé pour moi lorsqu'il est écrit plutôt qu'oral. Même chose pour produire : il m'est beaucoup plus facile d'écrire un texte, de le taper à l'ordinateur, que de le dire. Je ne peux donc que garder une certaine affection pour le projet de « grammatologie » de Derrida, une science de l'écriture au même titre que la linguistique se veut être une science de la langue parlée.

Toutefois, à l'écrit comme, surtout, à l'oral, ce n'est pas le simple geste qui compte. Derrière chaque prise de parole, plus fortes que les mots sont les attentes sociales. Autant certaines questions ou requêtes sont assez précises (« Quelle est la longueur en centimètres du segment [AB] ? »), autant d'autres sont vagues, leur sens n'est pas codé dans leurs mots. Si quelqu'un crie votre prénom, que faites-vous ? Il ne vous a pas demandé de vous retourner. Peut-être d'ailleurs n'est-ce pas votre prénom, puisque, à la grande horreur de nombre d'enfants autistes, plusieurs personnes peuvent avoir un même prénom ; c'est pour cela que parfois, certains identifient les personnes grâce à la plaque d'immatriculation de leur voiture, ou à leur numéro de Sécurité sociale. Il ne faut pas réduire les gens à un numéro, dit-on ; mais les réduire à un prénom n'est en soi guère plus flatteur. Dans ma toute petite enfance, une fois, en Suisse, mes parents ont vécu un instant traumatisant : je m'étais perdu. Et je ne répondais pas à leurs appels. J'étais en fait dans le buisson juste devant eux. Mais ils avaient omis de me demander de pousser un cri quand ils criaient mon prénom…

Savoir marcher fut aussi très compliqué. Je ne l'ai appris que tardivement, au grand désespoir de mes parents qui essayaient de me tenir par mes petits bras, mais je ne faisais que remuer mes jambes en l'air. Et sans la synchronisation des mouvements, cela ne marchait pas, si j'ose dire. Les diapositives familiales sont pleines de ces scènes. Aujourd'hui encore, je marche bizarrement. Je danse, disait une camarade de classe, voulant sans doute être le plus gentille possible. Ce qu'elle n'a pas vu, c'est que, seul dans un couloir ou un escalier, parfois, je me hasarde à mes anciens plaisirs : marcher les bras levés – on dit « en l'air », je crois, mais ils le sont quoi qu'il arrive.

Aujourd'hui, en discutant avec des parents d'enfants avec autisme, je me rends compte de cette forte détresse : il ne marche pas. Ou il marche mal, ou encore il a une démarche qui n'est pas jugée correcte. Pas plus tard que ce matin, j'étais avec une maman dont l'enfant commençait certes un petit peu à marcher, mais d'une manière beaucoup trop maladroite pour son âge. Et donc tombait souvent, à la moindre petite aspérité du sol, à la manière de certaines personnes très âgées.

École : gaffes de vie

Certaines questions n'auront, je le crains, tout simplement jamais de réponses. Les raisons profondes de la nécessité d'aller à l'école en font partie. Il y a la réponse officielle, à savoir que l'on va à l'école pour apprendre ce que dit la maîtresse ou le maître. La réponse foucaldienne, qui évoque la discipline des corps. Celle de l'Église romaine, quelque peu liée, qui invoque la vertu. J'ai retenu pour ma part avant tout l'arbitraire de l'obligation de scolarité. C'est paradoxalement d'ailleurs pour cela que je l'appréciais malgré tous ses défauts. Aujourd'hui, je crois que l'école est bel et bien un lieu d'apprentissages nécessaires ; seulement, ce ne sont pas toujours ceux que le programme prévoit explicitement.

À maintes reprises, on a proposé ma déscolarisation ou au moins mon redoublement. Le « on » est ici délibérément indéterminé. Je ne crois pas qu'il y ait eu une sorte de « grand Satan » central luttant pour mon échec, plutôt des personnes, tout à fait estimables par ailleurs, mais convaincues du bien-fondé de leur position, ou alors suivant les non moins légitimes instructions de personnes ayant autorité. Beaucoup de parents ont l'impression tenace de lutter contre un bloc omniprésent mais invisible, comme si chaque étape du parcours se muait en un ennemi sournois.

Mon premier contact avec l'école a été l'année de grande section, où je n'allais qu'à mi-temps, le matin. M'y rendre l'après-midi était impossible, au-delà de mes aptitudes. Je me souviens fort bien de la réunion avec la directrice, à laquelle je n'avais rien compris naturellement, si ce n'est ce que plus tard mes parents m'avaient expliqué qu'elle avait été réticente au compromis proposé, avant d'accepter. À la fin de mon année de grande section, tout le monde, à commencer par la maîtresse, voulait que je redouble parce que je n'avais pas du tout les compétences requises pour passer en CP. Rétrospectivement, je me dis que si on avait attendu que je les acquière, je serais peut-être encore en grande section ! On peut savoir lire et écrire, se passionner pour les différentes espèces de moisissures, et être incapable de jouer au cerceau avec ses camarades. Le problème, c'est que dans les petites classes, nous sommes évalués sur des aptitudes qui comptent parmi les plus difficiles pour des personnes avec autisme. Et qui n'éveillent souvent qu'un intérêt limité : la différence majeure entre une intégrale triple et le karaoké tient non pas au fait que les deux soient le plus souvent difficiles, mais à l'intérêt que nombre de jeunes avec autisme portent aux premières, tout en ne percevant pas nécessairement celui de lutter pour profiter du second. Cela ne veut pas dire, nous y reviendrons, que les personnes avec autisme ne rechercheraient pas le contact, au contraire ; toutefois, le plaisir tiré des vociférations et gesticulations frénétiques des enfants dans la cour de récréation peut être incompréhensible.

Sur le plan social, j'étais seul. J'avais peur des autres enfants – et ce, hélas, avec raison, ou du moins avec de bonnes raisons. La peur était quasiment quelque chose de rationnel et raisonnable. Chaque jour, je recevais des coups. Certains jeux de groupe tournaient expressément autour des façons appropriées pour se défouler sur moi. Il ne faut pas croire que le phénomène des violences scolaires n'existe que dans les mauvais établissements : j'étais scolarisé dans des établissements de taille restreinte, jugés bons, voire très bons. À l'époque, les surveillants n'avaient pas le réflexe de veiller à ce qu'aucun enfant ne se fasse tabasser. L'ont-ils aujourd'hui ? J'ose y croire, tout en n'en étant pas sûr. Pire : en situation de handicap, la faute de mes mauvaises fortunes sociales m'était naturellement imputée. Si dans un groupe de quatre enfants, A, B, C et D, les trois derniers refusent de jouer avec l'enfant avec autisme A, la « faute » ou l'interprétation du phénomène tiendra à une particularité de A, et non point à une décision blâmable de B, C et D. Une double peine, en somme, que nous rencontrerons à toutes les étapes ou presque.

Mes parents, lucides et observateurs, avaient trouvé une parade redoutable : dire que j'étais étranger ou tchèque. Voilà qui expliquait tout lumineusement. Que je parle de manière incorrecte, rien de plus normal. Que je ne comprenne pas les consignes, voilà qui était fort naturel. Que je ne mange pas à la cantine de même, vu que j'étais habitué à un régime étrange, celui de ces contrées lointaines. Il y a quelques années, j'ai rencontré un monsieur ayant des origines suédoises, et qui m'avait spontanément raconté un récit fort similaire au mien, mais où les Tchèques étaient remplacés par les Suédois. Mes parents n'avaient visiblement pas été les seuls à y penser !

Mes petits camarades, ou la grande récré

Penser que les enfants se sentent bien avec leurs petits camarades d'école est l'une des croyances les mieux enracinées. Et l'une des plus funestes pour les enfants avec autisme. Ne dit-on pas aux enfants ne voulant pas aller à l'école qu'ils y reverront leurs « copains » ? Mes parents ne me le disaient pas, mais je pense que cela n'aurait pu que m'exaspérer. Que pouvait donc signifier ce terme « copain » ? Pourquoi l'utiliser quand la maîtresse de CM1 nous expliquait clairement qu'il ne fallait pas l'employer dans nos rédactions ? N'évoquons même pas le fait que les « copains » en question étaient plutôt, pour un enfant autiste, des petits monstres tabasseurs.

Dans la lignée de cette croyance, le prolongement rêvé, le meilleur moment de la scolarité doit être la fameuse, la mythique grande récré. Le cauchemar. Une sonnerie stridente retentit. À peine a-t-elle cessé, ou plutôt à vrai dire bien avant cela, et les enfants se mettent à hurler, à courir, à se précipiter dehors à toute allure, assoiffés de leurs jeux. Je ne savais pas jouer au ballon, ou plutôt à leur jeu étrange, mélange non agréé de règles officielles et de pratiques *ad hoc*. De plus, il faut avoir un certain nombre d'aptitudes physiques : visualiser en trois dimensions la trajectoire du ballon, posséder une motricité fine, toutes choses problématiques chez moi, jusqu'à aujourd'hui. Mes parents disaient souvent à propos des objets que je ne parvenais pas à attraper que j'avais deux mains gauches. Les enfants sur le terrain de foot employaient des termes bien plus méchants. Le plus paralysant est peut-être la non-perception du sens. Quel était l'intérêt de ce jeu de foot ? Quel est l'intérêt de donner des coups dans une balle qui devient rapidement très sale, et de la pousser dans telle ou telle direction ? Ne répondez pas que le foot est « cool ». Le ballon est à température ambiante, il n'est pas plus froid (*cool* au sens premier), donc votre argument n'est pas valable.

Les enfants avec autisme ont souvent une démarche, un comportement général un peu étrange. Les autres remarquaient ainsi qu'en classe je ne réagissais pas de la même façon aux sollicitations de la maîtresse ou du prof. Très observateurs, ils se firent ainsi vite un jugement sur leur petit camarade. Instantanément, les enfants savent qui sera populaire ou aimé du groupe, et qui sera mis à l'écart. La société des adultes est similaire, seule son hypocrisie sociale est plus raffinée : au lieu de taper directement, on utilisera certaines phrases d'exclusion, certaines attitudes, pour un résultat à peu près analogue. Il était donc à peu près impensable pour les autres élèves que je participe à leurs jeux de groupe. Même en supposant qu'un jeu auquel je puisse participer fût mis en place, s'ils étaient habitués à ce que je sois exclu ils ne m'acceptaient qu'avec peine dans leur groupe.

Mes parents s'en rendaient bien compte, quand je revenais sale, la tenue boueuse. Je n'avais pas de lunettes encore, à l'époque : une chance. La dernière fois que l'on m'ait frappé devait être en fin de cinquième. Mais que pouvaient-ils faire ? La culpabilité était sur eux ; les mentions dans mes carnets sur ma non-participation à la « vie scolaire » le leur rappelaient.

Avec mon cynisme désabusé croissant, j'irais jusqu'à croire que, peut-être, la présence d'un adversaire, ou d'un être méprisable pour tous, participe à la cohésion générale. Une fois, au début d'un jeu que je n'avais pas compris, j'avais observé que les autres enfants criaient en se rassemblant : « Chef d'équipe ! Chef d'équipe ! » Chacun voulait, naturellement, être le chef d'équipe, mais je ne savais

pas pourquoi. J'avais donc lancé : « Esclave d'équipe ! »
Après un instant de silence et de stupéfaction, mon rôle
était clair : j'avais donné sens et cohésion au groupe. Ils
savaient ce qu'ils allaient faire : se défouler sur moi. Drôle
de manière de me remercier de leur avoir rendu service.
Il me fallait trouver d'autres astuces. Lutter de front
n'était pas envisageable, ne serait-ce que parce que j'étais
toujours le plus jeune et le plus frêle de ma classe. L'es-
quive était de règle. La cour de l'établissement était très
grande ; souvent, j'allais bouquiner dans un coin. Je me
cachais avec mes livres, que je pouvais mettre dans mes
poches. Malheureusement, cette technique était une arme
à double tranchant parce que, autant vous pouvez être
très tranquille dans un coin, autant, si on vous y trouve,
alors là c'est fini pour vous.

Plus tard, en CM1 et CM2, j'ai remarqué qu'en faisant
quelques menues bêtises ou en assumant celles de mes
camarades je pouvais être privé de récréation, retenu en
classe. Plusieurs fois, je tentai le coup, et c'était le paradis
quand je réussissais. Je ne sais si mes professeurs avaient
compris. Les non-autistes n'ont pas toujours la théorie de
l'esprit développée qu'ils se prêtent.

Ensuite, peu à peu, on finit par s'habituer à presque
tout. Le problème étant que, lorsque l'on s'habitue à être
rejeté, cela a des effets sur le développement personnel
de chaque enfant, autiste ou pas autiste d'ailleurs. Ce qui
est particulièrement traumatisant, c'est lorsque l'on essaie
de mettre en place des stratégies pour communiquer et
que l'on constate que tout échoue systématiquement. Par
exemple, pour entrer en contact avec votre camarade de
classe, vous faites l'effort, au moment où il arrive, de lui
dire « Bonjour, Monsieur », comme il se doit. Sauf que
cela échoue car votre interlocuteur n'a que sept ans. Votre
manuel de politesse ne spécifiait pourtant pas à partir de

quel âge la formule pouvait être utilisée. Le problème corollaire étant que les enfants ont une excellente mémoire pour ce type de chose et se souviendront longtemps de vos gaffes. Si le lendemain, à la suite d'un apprentissage fait à la maison, vous dites la phrase qui convient, vous serez quand même exclu parce que tout le monde se souviendra de ce que vous avez dit la veille. Cela amène certains enfants autistes à changer fréquemment d'établissement pour essayer d'échapper à leur réputation. Solution bancale puisque rapidement la même réputation se recrée.

Un adulte avec autisme m'a confié que, enfant, quand il arrivait dans une nouvelle classe, la première chose qu'il faisait, c'était de compter ses camarades de classe. S'agissait-il d'une manie autistique, comme il serait tentant de conclure ? Non, il voulait simplement savoir si le nombre d'enfants total était pair ou impair. Si le nombre était impair, il se disait : « Zut, à chaque travail en binôme, je serai seul. » Ceci pour montrer à quel point un enfant avec autisme, contrairement à une opinion répandue, fait de réels efforts pour être intégré dans le groupe. Il ne faudrait pas croire qu'il est seul parce qu'il veut être seul, ou parce qu'il est dans sa bulle. Une telle croyance est confortable, puisque, à nouveau, elle impute la responsabilité de tout ce qui se passe à la personne handicapée. Mais cela ne reflète pas la réalité.

Une autre remarque est nécessaire, autour de la notion d'excellence. Comme je l'ai dit précédemment, je n'ai pas été scolarisé dans le Bronx. Plutôt dans ce que l'on appellerait de bons établissements. Cela étant, il ne faut pas croire que tout se passe très bien pour les enfants avec autisme dans un « bon » établissement. Pire, les très bons sont en général plus « excluants » pour les enfants handicapés que ceux qui sont réputés mauvais. Un paradoxe ou un scandale qui a ses raisons.

Le fait d'être handicapé est précisément de ne pas cadrer avec le moule ; avec aucun moule. L'excellence, à mon sens, a un côté complètement arbitraire. Et je ne le dis pas par frustration, étant passé par toutes sortes d'établissements dits d'excellence. Nous y reviendrons plus tard.

Mes profs, ou le grand décalage

D'ordinaire, dans mes présentations publiques sur la vie à l'école, évoquer les travers des enfants est relativement bien accepté. Aborder ceux des adultes de l'établissement scolaire est autrement plus complexe. Pourtant, des solutions peuvent être créées pourvu qu'on les recherche.

Mes parents ont toujours su négocier, imposer ma présence à l'école malgré les difficultés. Pour les enseignants, j'étais un enfant à problèmes. En pire. Le profil classique de l'enfant à problèmes est connu : il a de mauvaises notes, se comporte mal en classe, est désobéissant. Je pouvais quant à moi avoir de bonnes notes. Les enseignants savaient que je lisais des bouquins qui ne correspondaient pas à mon « niveau » de l'époque, que je n'étais pas désobéissant, mais malgré tout je posais problème. Quelques années plus tard, j'allais devenir un cancre avec de bonnes notes, sorte d'oiseau étrange dans le paysage scolaire.

En somme, j'ai souvent eu deux types de relations avec les enseignants. Certains m'aimaient bien, voire m'aimaient beaucoup, et d'autres se méfiaient, avaient peur de moi. En y réfléchissant je me dis que, après tout, ceux qui appréhendaient ma présence avaient leurs raisons ; je devais beaucoup perturber le cours. Imaginez un enfant qui a tout le temps la main levée pour répondre ou qui vous corrige de manière parfois très brutale quand vous faites une faute d'orthographe en écrivant au tableau : cela peut être fort pénible.

Une histoire le dira peut-être mieux. Lorsque j'étais en CE2, nous étudiions les segments ; nous recevions des feuilles ronéotypées avec des segments, et nous devions les mesurer puis inscrire à côté leur longueur en centimètres et millimètres. Pour l'un des segments, ma prof et moi parvenions à un résultat divergent. Je réfléchissais, cela me perturbait : pourquoi ne pouvions-nous pas avoir le même résultat ? Je finis par avoir une explication scientifique et voulus partager ma joie avec ma prof, pensant qu'elle aussi apprécierait. Je lui expliquai donc que le décalage dans nos mesures s'expliquait par le fait qu'elle était trop vieille, que ses mains tremblaient, et que donc elle ne pouvait mesurer la bonne longueur du segment. Elle le prit mal. Je n'avais pas du tout anticipé ce type de réaction négative. Souvent, on pense qu'un enfant autiste qui corrige ses enseignants le fait pour les blesser : ce n'est pas exact.

Il n'y a pas que cela. Si participer à la vie de la classe est généralement tenu pour une bonne chose, l'enfant avec autisme peut poser problème précisément en croyant bien faire. Par exemple, supposons que l'enfant en question, moi en l'occurrence, s'intéresse, au hasard, à l'Égypte des pharaons : quand vient, dans le programme scolaire, le moment de parler de l'Égypte, votre classe tournera à l'enfer parce que l'enfant aura tout le temps la main levée, vous interrompra pour corriger telle ou telle chose que vous avez dite, ou pour en rajouter. Et il ne pourra peut-être pas comprendre que le programme prévoit de traiter cela en une demi-heure, et pas en une année entière. L'Égypte était pour moi une obsession. Pendant quelques années, je n'avais en tête quasiment que ce pays, son histoire et la liste des pharaons des trente dynasties que je connaissais par cœur. Récemment, en marchant dans

Paris, je me suis arrêté par hasard devant une vitrine ; avec un petit pincement au cœur, j'ai lu le nom d'un établissement privé de cours d'égyptologie. Tous mes souvenirs d'enfance sont remontés : il y a tant d'années, je leur avais écrit, mes parents me dictant la lettre, pour qu'ils m'envoient leur catalogue. Bien sûr je ne m'étais pas inscrit, faute d'argent. Se retrouver face à cet institut m'a procuré un vrai choc. Tout comme il y a quelques années quand de la même façon j'ai découvert la façade de la Maison de l'astronomie, rue de Rivoli, un établissement un peu mythique de mon enfance. Des « rencontres » dont je n'ai parlé à personne. Et qui disent mieux qu'une longue argumentation l'utilité des apprentissages personnels de l'enfant autiste. Même et surtout quand ils paraissent inutiles ou absurdes pour son âge.

Apprendre à l'école, apprendre à la maison

Lorsqu'il allait faire les courses, mon père m'emmenait souvent avec lui, profitant de ce moment pour m'exercer aux codes sociaux, sachant que lui faisait tout, et que je ne faisais que marcher derrière lui. Un jour, dans un supermarché, il m'acheta un petit livre d'astronomie. Je l'appris par cœur – il est aujourd'hui dans un état pitoyable tant je l'ai manipulé. Ma curiosité et ma passion pour l'astronomie, autant qu'il m'en souvienne, sont nées ce jour-là. Plus tard, un des collègues de mon père m'offrit un numéro du magazine *Ciel et Espace*. Ce fut le début d'une très longue période. Les premiers mois, je ne savais pas lire un magazine ; je l'appris donc par cœur, de la première ligne en haut à gauche de la première de couverture, jusqu'à la dernière lettre en bas à droite de la quatrième de couverture, publicités et code-barres compris.

Ensuite, j'ai réalisé que l'on pouvait lire un numéro sans l'apprendre par cœur. Puis, un peu plus tard, j'ai encore compris qu'on pouvait commencer la lecture, par exemple, à l'article qui est en page seize et non pas forcément au début. Enfin, j'ai fini par comprendre la différence entre un article et une publicité. Toutes ces découvertes ont eu lieu très progressivement. *Ciel et Espace* est devenu bien plus qu'une passion : un véritable outil de création de ma personnalité. Et de socialisation. Socialisation d'abord virtuelle parce que, dans chaque magazine de passionnés, il est question de personnes concrètes, des événements qu'ils organisent, des dates de rencontres et de manifestations, des rendez-vous d'amateurs dont on peut ensuite lire les comptes-rendus, etc.

J'ai ainsi découvert que des gens aiment se retrouver, qu'ils utilisent des termes spécifiques, et que chaque réunion ressemble à une sorte de rituel. Indirectement, de cette façon, j'ai appris des codes sociaux qui, autrement, me seraient apparu profondément lassants et sans intérêt. La magie de l'astronomie, science des astres lointains, pourrait être de réunir des gens sur cette terre.

Peut-on dire que mon intérêt pour l'astronomie a favorisé ma scolarité ? Ce n'est pas une matière enseignée en primaire. Au-delà de ce cas particulier, je crois que l'évaluation du savoir à l'école est fort différente de ce qu'elle est dans d'autres contextes. Ainsi, en classe de CE2 ou CM1, on étudie les directions et points cardinaux, à savoir le Nord, le Sud, l'Est et l'Ouest. Lors d'un contrôle, nous devions répondre à la question suivante : « À quel point cardinal le soleil n'apparaît jamais ? » La réponse attendue à l'école est bien entendu le Nord. Pourtant, elle est fausse, puisqu'elle ne prend en compte ni le soleil de minuit, ni même le cas de tout l'hémisphère Sud. Mais ce type de réponse, pourtant plus exacte, n'est pas admissible de la part d'un enfant de CE2 ou CM1, et donc considérée comme fausse. Et si vous insistez, on croira que vous dites n'importe quoi pour dissimuler le fait que vous avez tort. Prenons un autre exemple. En classe, assez tôt, on apprend à connaître les mots, jugés complexes, « horizontal » et « vertical ». Lors du contrôle, on nous présente un verre à moitié plein, en demandant si la surface de l'eau est, mettons, horizontale, verticale ou oblique. Que répondre ? Si elle était horizontale, comment les océans feraient le tour de la planète ? La liste serait longue, notamment si on y incluait les phrases à sens multiple en cours de français. Elle ne sert que d'illustration à un phénomène général : réussite scolaire et connaissances ne sont pas aussi étroitement liées qu'on feint de le croire.

Apprendre les comédies sociales, ou l'enfer des sorties scolaires

Pourquoi dans ces circonstances aller à l'école ? La question ne manquera pas de se poser. Surtout que, âgé de six ou sept ans, l'enfant comprend parfois, à sa grande terreur, que la maîtresse ignore le nom du successeur de Ramsès II et la magnitude de Sirius. Pourquoi donc l'écouter ? Le dilemme est souvent d'autant plus grave pour les parents que l'enfant avec autisme peut avoir le plus grand mal à comprendre que l'école est là pour lui apprendre les règles sociales – ce truc qui rend vrais les énoncés faux sur le Nord et la surface de l'eau. Qui ajoute des règles non écrites au règlement scolaire, par exemple que l'école sert à se trouver des amis, et non seulement à apprendre les maths ou le français.

En tout cas, en primaire comme au collège, personne ne voulait être assis à côté de moi. Gâcher sa réputation en étant assis à côté d'un monstre pareil. J'ose ajouter dès à présent que plus tard, en fin de lycée, pour d'incompréhensibles raisons, certains se bousculaient pour s'asseoir à côté de moi, notamment avec les examens de maths… Les équations sociales sont, quoi qu'on en dise, les plus redoutables à résoudre et à comprendre.

Ce n'est rien à côté des activités extrascolaires, que l'on appelle les temps « forts », tant pis si vous ne comprenez pas cet usage de l'épithète. Ainsi, en fin de CM2, juste avant l'entrée au collège, un voyage scolaire d'une journée avait été prévu. Toute l'année, plusieurs fois par jour, j'y avais songé. Paniqué par ce qu'il faudrait faire ou ne pas faire. Un état de stress difficilement imaginable pour les autres enfants, sûrement ravis de cette perspective – notons à ce titre que l'aptitude à comprendre les autres, censée être déficitaire chez les autistes, n'est pas nécessairement meilleure chez les personnes qui se jugent saines. Un voyage de fin d'année signifie d'une part que l'année est finie et d'autre part que le temps passé à l'école est abrégé d'au moins un jour.

Sujet d'angoisse d'autant plus que je n'avais pas accès aux outils de planification dont je dispose actuellement : pour un tel voyage, je regarde aujourd'hui sur Internet, m'informe sur le chemin à parcourir, tente de retenir les images des lieux. À l'époque, non seulement Internet n'existait pas, mais en plus on ne laissait pas un enfant planifier son voyage à la manière des professionnels du tourisme. Il est regrettable que, une fois de plus, ce soient les enfants, ceux qui ont le moins d'aptitudes sociales, que l'on expose aux plus fortes situations de stress en les privant d'une marge de manœuvre nécessaire.

Plus fondamentalement, on peut se demander si un tel voyage, dans un tel cadre, c'est-à-dire avec des gens étrangers, dont beaucoup de tortionnaires de cour de récréation, est réellement nécessaire. Le système scolaire devrait être plus souple à ce niveau-là, ce qui éviterait à certains bien des déboires.

Un de mes anciens amis, Romuald Grégoire, de mémoire bénie, raconte dans ses Mémoires parus peu avant sa mort ses efforts pour éviter d'aller à la piscine. Cette dernière était devenue une sorte de préoccupation majeure, nuage noir planant au-dessus de ses jours. Alors qu'il aurait été si simple de résoudre ce problème. Malheureusement, les gens sont habitués à imputer la « faute » de la souffrance à la personne autre, en particulier si elle est handicapée, à l'image de ces managers qui, de par leur tempérament et leurs méthodes, poussent à bout leurs collaborateurs, et invoquent les faiblesses personnelles de ces derniers en guise d'explication. On dira donc que l'enfant fuyant la piscine ou les voyages scolaires est bizarre, qu'il a des angoisses, qu'il lui est nécessaire de suivre une thérapie, de prendre des médicaments… sans bien entendu prendre en compte les répercussions de ces derniers.

De l'angoisse à la cachette

Enfant, j'avais des accès de colère, ou des moments de repli complet lors de ces crises d'angoisse. Quand mes parents changeaient le programme du lendemain, je pouvais passer des heures sans bouger sous un meuble, sous un lit, l'un de mes endroits préférés, dans un coin caché. On s'y sent protégé, il y a beaucoup moins de bruit, beaucoup moins de lumière. J'y ai passé tant de demi-journées ! Quitte à choquer, pourquoi ne pas envisager d'aménager des espaces expressément conçus à cet effet ? J'ai visité récemment des appartements où des parents avaient aménagé un endroit calme pour un enfant avec autisme : je crois que c'est là une excellente idée. Mais à l'époque, cela n'était pas encore bien connu.

Les cachettes ont fait partie de mon enfance – et pas seulement de mon enfance. Tout lieu étroit convenait. J'aimais aussi aller dans des endroits qui ne sont pas des cachettes à proprement parler : les recoins des cours de récréation, les toilettes, où je restais très longtemps.

Une cachette ou un lieu de refuge apporte un moment de calme sensoriel. Souvent, les bruits, les lumières sont atténués ; à ce niveau-là, il n'y a rien de mieux qu'une armoire, qui est fermée. Sur le plan visuel, c'est la même chose, un grand moment de calme, un sentiment de protection ; mais quand vous avez un contact physique de tous les côtés ou presque, c'est encore plus reposant. Vous avez aussi un lieu calme pour lire – si la configuration de la cachette le permet : dans un recoin de cour de récréation ou dans les toilettes vous pouvez lire pendant des heures, jusqu'à ce qu'on vous déloge ; dans une baignoire, aussi – bien sûr sans eau. On pourrait vraiment mieux prendre en compte ce besoin qui était le mien, et pas que le mien, d'avoir droit à un refuge. Si vous êtes confronté à une salle de classe très bruyante et que vous n'en pouvez plus, même d'avoir droit à quelques minutes de refuge dans un placard peut vraiment changer les choses.

Je suis assez frappé, maintenant, quand je lis qu'on considère le fait d'enfermer un enfant dans un placard comme une punition inhumaine. Pour moi, c'était un moment de bonheur. Puisque les amateurs de psychanalyse et de langues le devineront de toute manière, inutile de le cacher, sans faire de mauvais jeu de mots, d'autant plus qu'il pourra amuser le lecteur quelles que soient ses opinions par ailleurs : en tchèque, le verbe le plus proche de mon nom de famille, *schovat*, veut dire, en effet, « cacher ». De là à croire, par un mécanisme dont certains analystes se font une spécialité, que tous les autistes s'appellent en fait Schovanec relèverait soit d'une gracieuse plaisanterie, soit d'une assertion peu sérieuse, les deux se distinguant par leurs conséquences sur la vie des gens.

La source d'angoisse numéro un pour une personne autiste, ce sont assurément les changements par rapport à ce qui était prévu. Si on vous dit que le cours s'arrête à 10 heures, le fait que le prof parle encore à 10 h 02 crée une angoisse prodigieuse. Comment voulez-vous réagir ? De plus, vous êtes dans une situation de conflit entre deux règles : on vous avait dit qu'à 10 heures il fallait sortir ou partir, et d'un autre côté vous avez l'autorité du prof qui vous dit, même indirectement, de rester. Comment pouvez-vous savoir à quelle heure il finira enfin de parler ? Les autres enfants devinent peut-être à la tournure des phrases que la fin est proche. Si on ne le ressent pas, qu'il parle encore à 10 h 02 et s'arrête à 10 h 03, ou qu'il continue de parler jusqu'à 11 h 45, cela ne fait pas de différence sur le plan psychologique.

Supposons encore que vos parents vous disent : demain, nous allons visiter tel ou tel endroit, et que finalement on n'y aille pas. Pour les parents, rien de plus naturel, parce qu'hier ils avaient envie d'y aller, et que, finalement, ils n'ont plus envie, ou que la pluie est de la partie. Simple ajustement de programme, ce n'est même pas la peine d'en parler. Mais pour un enfant avec autisme, voilà une forme d'angoisse absolument majeure. Mes parents étaient très tolérants et en même temps ils me poussaient très fortement et en permanence à aller de l'avant avec plus ou moins de succès. Par rapport à l'énergie qu'ils avaient investie, le retour était particulièrement faible. Mais les parents n'ont pas le choix, c'est leur mission.

Au collège

La scolarisation des jeunes en situation de handicap suit la règle de la pyramide : un nombre assez appréciable d'élèves dans les premières classes, même s'il reste insuffisant par rapport à la population concernée, puis quasiment personne dans les classes ultérieures. Sans que l'on sache ou se préoccupe réellement de leur devenir. Le collège est, je crois, le maillon clé où la « disparition » a lieu. Alors même que, à mon avis, le potentiel des jeunes avec autisme y est précisément sur le point de pouvoir pleinement se manifester.

Si l'on essaie de dresser une liste de ce que le collège apporte, en bien ou en mal, par rapport au primaire, quelques points ressortent. Le premier point positif tient à ce que les choses deviennent globalement plus intéressantes. Autant dans le primaire les choses sont simplettes, sans intérêt, autant au collège on commence à avoir certains cours, notamment en quatrième, troisième, où, par moments, l'étincelle de la passion peut surgir. Les enseignants, quant à eux, sont plus spécialisés : si vous commencez à parler avec eux de ce qui vous passionne, avec un peu de chance une bonne réaction couronnera vos efforts de socialisation. Une fois, à la fin d'un cours, alors que j'étais seul avec elle dans la classe, ma prof de physique-chimie de terminale m'a proposé d'aborder, si je le souhaitais, des points au-delà du programme avec moi ; je n'ai jamais profité de cette proposition, mais elle a su ainsi créer une complicité, du moins je le crois.

Il y a aussi les points négatifs. Le collège est beaucoup plus exigeant en matière de planification personnelle. À vous de gérer votre emploi du temps. De savoir vous servir d'une montre – ceci n'est pas une plaisanterie :

même avec de bonnes connaissances techniques et des aptitudes « théoriques », une montre à aiguilles peut plus vous parler qu'une montre avec affichage numérique, d'où l'intérêt de tester différents types de montre avant de trouver celle qui convient. D'avoir une petite idée du temps qui passe. De planifier mentalement ou sur papier les petits gestes adéquats : si vous avez cours à 8 h 10, à quelle heure fermerez-vous la porte de chez vous ? À quelle heure vous brosserez-vous les dents ? Combien de fois et à quelle heure vérifierez-vous que toutes les affaires sont dans le sac ? Et quelles sont les affaires nécessaires ? Au-delà des livres et cahiers prescrits, quel est le véritable degré de nécessité des boules Quies, des différents en-cas, du parapluie, du parapluie de secours au cas où le premier serait déchiré par le vent, de la lampe de poche en cas de coupure de courant à l'école, de la corde pour fuir en cas d'incendie, et du compteur Geiger indispensable pour vous signaler toute fuite dans la centrale nucléaire proche de chez vous ? Le summum des compétences à atteindre est-il bien la désinvolture du cancre de la classe, qui est serein en arrivant en classe sans rien et en retard ? Jusqu'où aller dans l'apprentissage du stress d'être pris en défaut ? Répondre à ces questions prendra du temps, sans doute des années. Et encore : leur véritable solution, comme dans ces légendaires procès du Saint Empire romain germanique qui s'achevaient par la mort naturelle des protagonistes, sera probablement la fin de la scolarité elle-même.

Un autre problème du collège tient dans les camarades de classe. Si les enfants sont plutôt calmes en primaire – après avoir été agités en maternelle –, au collège la situation peut devenir très tendue parce qu'ils redeviennent violents : quand on tape en maternelle et en primaire, rarement l'acharnement est tel qu'il vise à blesser sérieusement. Au collège, une minorité de jeunes frappe pour blesser ou pour laisser des traces sur l'autre. Les tabassages sont moins fréquents mais plus conséquents. Vous pouvez tomber sur un groupe violent soit dans l'établissement, soit à sa sortie. La rue ou les quelques rues alentour peuvent être des lieux tout à fait redoutables et les rencontres que l'on y fait très négatives. Y compris aux abords des « bons » établissements. À ce titre, je souris toujours quelque peu en entendant le nom de tel ou tel sinistre personnage d'antan, ancien camarade ou plutôt tortionnaire de classe, qui aujourd'hui porte cravate, exerce un poste dit à responsabilité et, peut-être, y fait, enfin légitimement, régner la même terreur sous des formes à peine plus subtiles.

Il n'y a pas que la violence physique qui pose problème. La violence verbale marque probablement encore davantage. Je souhaiterais toutefois m'opposer à un discours convenu sur ce point, que je pourrais appeler celui de la condamnation. Selon cette thèse, la violence verbale serait portée par un certain nombre de termes tels que les insultes et menaces ; la politique prônée dès lors consiste à interdire ou vouloir interdire l'usage des termes en question. À mon avis, la violence verbale envers une personne avec autisme ou sans autisme ne tient pas à un nombre bien identifié de termes. Me proposer quand j'étais enfant de déjeuner chez des amis de mes parents était pour moi une bien plus grande violence verbale que de m'insulter – les insultes en général m'amusent beaucoup. Dans ces conditions, la tentative, certes méritoire, de gérer cette violence envers les personnes « différentes » par l'éradication des termes impliqués risque non seulement d'échouer, mais aussi d'entraver toute vie humaine. Il est selon moi bien plus important de donner à la personne autiste des compétences sociales pour mieux y faire face.

À l'adolescence, la puissance d'exclusion du verbe peut se loger dans un type particulier de langage ; lorsque vous ne l'utilisez pas, vous êtes totalement exclu. Si vous n'avez pas les mêmes centres de préoccupation que les autres, si vous ne connaissez aucun acteur ou actrice, si vous n'allez pas au cinéma, avoir des contacts sera difficile. Et de même si vous ne portez pas les marques à la mode. Plus vicieux – une chose que j'ai eue du mal à comprendre : il ne s'agit pas uniquement d'acquérir des compétences nouvelles pour être inclus, mais également d'en supprimer certaines. Ainsi, plusieurs règles régissant l'expression linguistique n'ont plus cours. J'ai mis des années à comprendre, puis à hasarder dans mon propre langage un « ché pô » qui porte, entre autres, entorse au principe de négation dans « je ne sais pas ». Les mots et phrases s'abrègent, la tonalité ou mélodie du langage gagne en importance ; autant dire que les échanges deviennent largement incompréhensibles.

Les stratégies sociales, malheureusement celles exprimant ou visant le mépris, deviennent plus élaborées. Un enfant en bas âge, pour marquer son rejet de quelqu'un, donne une baffe, dit un gros mot. À l'adolescence, on fait mine de s'intéresser à vous tout en vous tendant des pièges. Pour, par exemple, avoir un moment de rigolade à vos dépens. Dans le cas des jeunes avec autisme, quelqu'un peut faire semblant de s'intéresser à ce qui vous passionne, mais dans l'unique but de se moquer de vous en vous écoutant débiter votre monologue préféré sur les chromolithographies ou l'histoire de la dynastie Ming.

L'une des difficultés tient à ce que, à force de vivre et revivre cette même situation, on devient méfiant, voire un peu paranoïaque. Chaque fois que quelqu'un est gentil, vous dit bonjour, on se demande à quel point il s'agit de manipulation et quel coup bas est en préparation.

Quant à moi, au collège, mes comportements bizarres ne manquaient pas. L'un d'eux était l'absentéisme. Autant j'avais été ponctuel et assidu en sixième et cinquième, autant en quatrième, comme cela avait été le cas en CM1 d'ailleurs, je me montrais fort peu. Je pouvais ne pas venir au collège pendant deux mois, puis revenir pour une ou deux semaines, puis m'absenter à nouveau. Mes enseignants l'acceptaient tant bien que mal, probablement parce qu'ils savaient que j'avais le niveau sur le plan purement scolaire. Ils savaient que je faisais parfois les exercices de ma grande sœur, et un arrangement tacite avait cours avec mes parents. J'ignore la possibilité de pareille chose dans des établissements publics ou de taille plus conséquente. À l'époque, ces absences représentaient ma planche de salut pour ne pas craquer dans le milieu très dur du collège. Au demeurant, il ne faut pas croire que j'étais allongé dans mon lit à écouter l'herbe pousser. Je lisais ce qui me plaisait. D'ailleurs, pour la petite histoire, il y a eu quelques moments délicats : alors que j'étais censé être malade, tel ou tel prof me croisait avec plusieurs gros sacs, rentrant de la bibliothèque… La maladie était apparemment synonyme de maladie physique visible pour beaucoup. Mais que signifiait maladie dans un tel cadre ?

Un autre de mes comportements bizarres est peut-être plus difficile à expliquer au lecteur sans que ce dernier ne me place dans la zone susmentionnée des pathologies sans espoir de rémission. En sixième et cinquième, je souffrais d'une sorte de lubie ou de passion pour la trigonométrie, et j'avais bricolé moi-même des sextants et autres engins analogues, sur le modèle de ceux usités par les non moins excentriques personnages de Jules Verne. Avec eux, je pouvais mesurer les bâtiments dans la cour de l'école. Calculer leur hauteur, puis celles de chaque étage. J'y passais mes récréations. Plusieurs surveillants et camarades de classe se sont inquiétés pour ma santé mentale. Me questionnant, et m'entendant évoquer cosinus et autres tangentes, peut-être avaient-ils eu confirmation du caractère devenu délirant de mon discours. Ce n'était qu'un début.

Quand l'excellence se fait sérieuse : au lycée

Avec le temps qui passe, les mines des responsables du collège se font sérieuses. On nous fait comprendre que nous sommes désormais des « grands ». Un terme qui m'a toujours questionné, comme on dit dans un jargon se voulant scientifique. Ne nous l'avait-on pas déjà dit en CP ? Quoi qu'il en soit, nous allions entrer au lycée. Ce terme m'évoque toujours le lycaon, avec lequel il partage le même et inhabituel début.

Après une assez longue négociation de la part de mes parents, j'ai pu continuer ma scolarité dans un petit lycée privé où tout le monde se connaissait. Et où le corps enseignant gardait souvenir du passage réussi de ma sœur. Cela facilitait les choses.

J'y suis devenu sur certains plans un élève modèle. Toujours à l'heure, et même, à vrai dire, debout devant la grille une heure avant le début du premier cours. Jamais absent. Toutes les affaires requises toujours avec moi. Tout en demeurant un cancre parfait dans d'autres domaines. Des exercices à faire à la maison qui certes étaient, du moins à mes yeux, « faits », mais dont la longueur ne dépassait que rarement une ligne, celle où le résultat était noté. Une écriture manuscrite toujours aussi obstinément illisible. Des centres d'intérêt toujours aussi ringards.

J'ai parfois eu l'impression, assez désagréable sur le moment, mais dont je me souviens avec émotion aujourd'hui en me les remémorant, que quelque chose se passait. Au moins deux profs de terminale, en maths et physique, quand les calculs devenaient trop compliqués, et qu'ils s'embrouillaient face au tableau, avaient pris l'habitude de se retourner, de me tendre la craie et de me dire : « Josef. » C'était mon tour de tenter ma chance.

Quelques psychodrames plus tard, j'ai passé le bac. Le bac comme la barque pour traverser la rivière, ou le bac à sable, rarement autre chose dans mon esprit. Je suis allé, comme on dit curieusement, aux « épreuves » fort peu inquiet pour leur contenu, mais particulièrement angoissé par les problèmes potentiels de métro. En somme, je suis allé au feu ou au bac en parfait cancre.

Le jour des résultats, alors que beaucoup de gens m'avaient prédit un échec magistral, mon nom n'était pas dans la grande liste, mais sur une feuille à part, celle des mentions très bien. Un jour assez triste, en fin de compte, car ce fut celui de l'effondrement d'un monde, de la fin de mes projets professionnels, l'adieu définitif et brutal à mes enseignants et camarades de classe dont une petite poignée, dans les derniers mois du lycée, étaient au moins devenus des compagnons de quelques rigolades autour des « guerres de calculatrices » programmables de l'époque. Et l'adieu, comme je n'allais le comprendre que plus tard, à un modèle de normalisation par l'apprentissage permanent. Peut-être que ce jour-là, en voyant pour la dernière fois mon désormais ancien prof de maths et quelques autres, j'avais eu un instant la folie de croire en la possibilité de réussir malgré tout dans la vie. La folie de croire en la réalité des promesses que véhiculait l'école. La suite fut, peut-être d'ailleurs heureusement, un démenti riche d'enseignements.

Ce n'était un secret pour personne : je voulais devenir mathématicien, parce que les maths étaient la matière où j'étais le moins exposé aux problèmes – sans mauvais jeux de mots. Les maths, cela allait tout seul. Pas la peine de réviser, ni même de l'envisager. Et beaucoup de bon temps pendant les examens : songez, si vous avez quatre heures, si vous finissez rapidement, qu'il vous reste trois heures pour vos échanges intimes avec la calculatrice et votre vieux pote le processeur « Saturn ». Les seuls qui vous comprennent parfaitement quand vous parlez en assembleur ou en « polonais inversé » (*sic*, c'était le nom de l'un des langages de programmation).

Une clef du tournant imprévu des événements était mon âge. Comme j'étais mineur (pas dans la mine, mais au sens latin du terme) en passant mon bac, ma sœur m'avait fait une petite blague : sur l'outil ultramoderne qu'était alors le Minitel, elle m'avait inscrit dans cet établissement bizarre qu'était Sciences Po. Tellement bizarre qu'il sera nécessaire d'infliger au lecteur au moins un chapitre à son propos. C'est lui qui, en fin de compte, après de longues explications de ma sœur à mes parents, un jour de fin d'été 1999, date à elle seule assez symbolique, m'engloutit pour longtemps.

2

Sciences Po
L'autiste de « basse » cour

Parmi ces phénomènes sociaux étranges qui sans doute m'échapperont toujours, susciteront l'incrédulité et ce délicat mélange émotionnel que l'on ressent lorsque l'on croit être face à un canular, j'ai remarqué que lorsque je parle, les gens ont parfois de bien curieuses réactions. Souvent, leur attention est fluctuante, certains écoutent, d'autres pas, sans que l'on puisse savoir pourquoi. Mais quand je glisse dans la conversation que j'ai fait Sciences Po, les gens sursautent et leur attitude change. Comme par enchantement.

Je me suis souvent demandé pourquoi. Ou plutôt, si l'on n'accepte pas l'arbitraire social comme une bonne raison, qu'est-ce qui dans ce que je dis peut bien être intéressant ou pas du fait que je sois passé par tel ou tel établissement. Pourquoi mon passé serait-il plus important que le contenu de ma parole ?

Assurément, quand on est immergé dans un environnement culturel donné, son arbitraire peut ne pas être apparent. Tel nom d'institut qui inspire le respect ici est totalement inconnu ailleurs. Et ce non pas sur une autre planète : en à peine plus d'une heure de train de Paris, nous pouvons arriver en des contrées reculées où Sciences Po est inconnu. Et où les gens vivent fort bien malgré tout. Ou bien des pays où le nom de Polytechnique, lorsqu'il est compris, évoque l'École polytechnique fédérale de Zurich.

Peut-être que l'autisme apporte un décalage encore plus fort. Je peine toujours à me convaincre que j'ai bien « fait » – dans cette étrange acception du verbe « faire » – Sciences Po Paris. « Curieux établissement » est ma première pensée quand je me retrouve dans mes pérégrinations d'internaute sur son site Web. Les souvenirs personnels ne remontent qu'avec retard. Et pas toujours. Comment la photo d'un amphi récemment rénové, avec des sièges que je n'ai pas connus, et dont celui où j'étais toujours assis a été ôté, peut-elle m'évoquer aisément un vécu passé ? Pourquoi, au fait, porté par un modernisme sans logique apparente, a-t-on sacrifié l'âme d'un lieu ? N'évoquons pas même le nom. « Sciences Po » est un nom que j'ai mis des années à apprendre. Pour moi, j'avais fréquenté l'IEP, Institut d'études politiques, et non pas « Sciences Po ». Un IEP avec une silencieuse nostalgie pour l'appellation première, « École libre des sciences politiques ». L'adjectif « libre » étant, discret clin d'œil historique, un signe de nécessaire créativité, de non-institutionnalisation, de rêvasserie d'une matière universitaire dans son enfance, d'inspiration allemande à l'heure où les universités d'Europe centrale allaient atteindre leur apogée.

Cependant, mon pire décalage est sans doute non pas avec un nom et un lieu, mais avec un cadre social. Que veut donc dire « carnet d'adresses » au sens figuré, lui que l'on dit chose la plus importante des prestigieux établissements ? Aujourd'hui, on parle plus de « réseaux ». Il faut les bâtir, les activer. Durant toutes ces années de Sciences Po, les miens sont restés à zéro. Je n'ai jamais mis les pieds dans un cercle ou groupe d'anciens. Mon nom ne figure pas dans l'annuaire en ligne de l'association des anciens élèves. À tel point que, récemment, d'aucuns m'ont accusé de n'avoir jamais été à Sciences Po. D'avoir tout inventé. De n'avoir pas été diplômé. Ce que je juge amusant : soit quelqu'un n'a pas d'aptitudes, et dans ce cas la vanité du diplôme doit être manifeste, soit il en a, et dans ce cas que change le fait qu'il ait ou n'ait pas été diplômé ? Au contraire, j'aurais tendance à accorder plus de considération à l'autodidacte. Que change le fait qu'un papier portant une phrase pompeuse soit ou non présent dans les archives personnelles ? Mystères du ministère, dirait l'autre…

Je me suis régulièrement demandé d'où venaient les marques de distinction sociale. Cette étrange volonté d'être « classe ». Il y en a de multiples formes, mais avec un mécanisme commun. En France, on se définit par l'école que l'on a fréquentée ; en Allemagne, par la discipline que l'on a suivie : en France, on est « ancien élève de… », en Allemagne, on est « philologue » ou « romaniste ». Au moins le second modèle, malgré ses défauts, contient-il une allusion au contenu d'un certain savoir, au-delà d'un label dénué de sens. La « grande école » n'est pas, chez nous, un bâtiment imposant par ses dimensions, mais quelque chose de très enviable. Sa traduction littérale la plus proche en anglais, *high school*, est en revanche un lycée sans autre distinction. Il ne faut pas s'y tromper quand on parle : sous la langue, les hiérarchies. Alors qu'il faut briller, on trouve flatteur d'avoir été dans une école « normale » supérieure – son homologue l'inférieure n'existant pas, malgré mes recherches. Ou d'avoir été adjoint au troupeau (*grex, gregis* en latin), c'est-à-dire agrégé.

J'ai souvent été amusé par les jeux sociaux autour de deux de mes diplômes : celui de Sciences Po et mon doctorat en philosophie. En Allemagne, tout le monde se moque de Sciences Po. Personne ne sait ce que cela veut dire. Et quand, gêné, on essaie d'expliquer, ou plutôt de s'expliquer face à une si étrange rubrique de classification, les rires plus ou moins contenus sur les Français tiennent lieu de réponse. En revanche, sur les billets de train, ou les billets d'avion, il y a écrit : « Monsieur le Docteur XYZ. » De même sur les enveloppes des courriers qu'on m'envoie d'Allemagne. En France, on m'a déjà demandé pourquoi diantre j'avais décidé de faire médecine. Peu à peu, j'ai cru comprendre que ces amusantes petites histoires avaient, hélas, de profondes répercussions sur la vie des gens. Un long parcours, un très long apprentissage d'autiste. Qui débouche, comme souvent, sur la curieuse impression de ne plus trop savoir qui est l'autiste et ce qu'il lui faut acquérir que les autres ont, contrairement à lui.

Arrivée de l'autiste à la cour

Sciences Po, c'est un fabuleux miroir grossissant de la société. Ce miroir m'est tombé dessus à un moment de ma vie où je n'étais pas du tout rodé. J'ai vécu mon entrée dans la cour sur un mode quasi tragique. Ou plutôt tragi-comique, vu avec un peu de recul. Des ressentis aussi contradictoires et, en dernière analyse, absurdes que le mot « cour » lui-même compte de significations, la basse étant pour la volaille, la haute pour les criminels, la cour tout court tantôt pour ces derniers, tantôt pour les courtisans, la faveur du prince tenant souvent lieu de séparation ultime entre les catégories.

Le premier jour, en arrivant à Sciences Po, je ne savais pas trop dans quel étrange établissement je tombais, à quoi m'attendre, si ce n'est que le terme « politique » dans le titre m'évoquait ces universités d'État mises jadis en place par l'URSS pour former ses gens, une référence décalée, que j'étais sans doute le seul à avoir en tête, dont je savais qu'il ne fallait pas parler pour ne pas être mis à l'écart dès les premiers instants, mais qui à la longue allait, que je le veuille ou non, influencer ma vision des choses.

J'étais arrivé très tôt le matin, au moins deux heures avant l'heure de la convocation, parce que je ne savais pas trop jusqu'à quel point il fallait venir à l'avance. Donc dans la nuit, au tout petit matin, j'attendais dans la rue noire, devant la porte close, étonné d'être seul, angoissé de m'être trompé de lieu ou de date, un énorme sac sur le dos avec un peu de tout, des réserves de nourriture à un stock de papier de toilette, paré à toute éventualité à l'instar des voyageurs interplanétaires de Jules Verne.

Puis vint l'ouverture des portes. J'ignore combien nous étions, peut-être cent cinquante, à avoir été convoqués ce matin-là. Premières minutes, première claque. J'ai observé une chose curieuse. Alors que personne ne se connaissait, chacun venant d'un bled différent, en quelques instants, cinq minutes à peine, des groupes s'étaient déjà formés. Des groupes de discussion, des groupes de cinq, dix personnes tout au plus. Et comme on peut le deviner, je fus probablement l'un des seuls à rester en dehors. Je n'étais pas spécialement surpris : c'était un peu ce que j'avais vécu durant toute ma scolarité. Une sorte de malédiction se reproduisait. Que je n'ai pu qu'accueillir avec fatalisme.

Une séance solennelle suivit. Les deux directeurs, aux titres ronflants et vénérés de tous, ont dit quelques mots. De les savoir tous deux morts à l'heure où j'écris ces lignes – l'un de la mort « vieille France » la plus fastueuse qui soit, l'autre d'une mort de starlette dont la presse nationale a préféré taire les détails scabreux, mais tous deux bel et bien morts alors que leur puissance il y a peu encore paraissait infinie – donne à réfléchir. Mais cela, je ne le savais pas encore à l'époque.

Notre premier cours, en petit comité, suivit. Dans un petit salon, avec des boiseries, une cheminée en marbre et la désagréable sensation d'avoir affaire à une imitation, à des fins de distinction sociale, de styles architecturaux plus anciens. Le prof a commencé par faire l'appel. Il faut savoir qu'à Sciences Po, j'ignore si c'est encore le cas, le dossier d'inscription demandait le nom du père, les décorations du père, le nom de la mère, les décorations de la mère. Tout est dit. L'appel était donc sur le mode : « Pierre S., que fait votre père ? – Général de l'armée de l'air. – Très bien, Monsieur S. » Ou encore : « Édouard Guigou… dites-moi, Guigou, cela m'évoque quelque chose… – Oui, oui, tout à fait… – Très bien, Monsieur Guigou », réplique le prof, prenant son crayon. Peu après, la machine se grippe : « Ske… Sko… Skounch… » – là j'ai compris que c'était moi. « Profession du père ? – Chômeur… » Rude entrée en matière.

Les autres cours furent sur le même mode. Inadaptation sociale d'un côté, riches découvertes de l'autre. Dans tous les sens de l'expression. J'en ris maintenant, mais n'en avais pas le loisir, ou n'osais pas le prendre, sur le moment. Je m'étais aussi promis de faire des efforts. Sans succès. Autant, quand j'étais au lycée, je pouvais me dire que j'étais « exclu » du fait d'un lourd passé ; autant alors, quand le même scénario se répétait face à des gens totalement inconnus, cela avait l'effet d'un petit coup de marteau. Il faut cependant ajouter que j'étais dans un tel état d'esprit en allant à Sciences Po que la présence d'une guillotine dans la cour ne m'aurait qu'à peine surpris.

Et pourtant. Les mauvaises surprises du quotidien m'attendaient là où je ne les anticipais pas. À commencer par la redoutable épreuve de savoir dire bonjour. À l'époque, cela était particulièrement délicat pour moi. Il ne faut pas sous-estimer ce point qui peut paraître évident. Si l'on prend l'exemple du bonjour dans d'autres cultures, par exemple dans la Chine traditionnelle, il y a l'obstacle évident de la connaissance ou non de la formule verbale et de la gestuelle associée. Mais également la confiance en soi en exécutant le rituel ; le fait de croire qu'on l'accomplit de manière incorrecte peut avoir de grandes conséquences, et ce pas seulement sur le plan psychologique. Sans même évoquer la question des variantes multiples du rituel : saluons-nous chacun de la même manière ? Si un ami marche vers vous, à quelle distance faut-il commencer la cérémonie ? Si vous le revoyez le soir même, faut-il recommencer ? Et à quoi tout cela sert-il, fondamentale-ment ? Autant de questions délicates auxquelles je n'avais guère de réponses et qui m'intimidaient.

Une deuxième mauvaise surprise m'attendait. Je sentais que les autres, physiquement, visuellement, culturelle-ment, de la tenue vestimentaire à la coiffure en passant par le sac à main (au demeurant, pourquoi ce que je porte à la main, moi, n'est pas reconnu comme un sac à main ? En écrivant ces mots, j'ai vérifié sur Wikipedia, toujours incrédule à plus de trente ans de vie face à ce code linguistique), n'appartenaient pas au même monde que moi. Toutes ces choses ne relèvent pas nécessaire-ment de l'autisme en tant que tel, mais la très faible estime de soi de nombre de personnes autistes leur donne un cachet particulier. J'avais ce fameux sentiment marqué d'être profondément inférieur, d'être moins que nul. Certains adultes avec autisme vous répondent à toute question : «Ne me posez pas de questions, je suis débile, je ne peux pas répondre à vos questions»...

Sachant que celui qui m'avait dit ces mots était champion régional d'échecs.

L'excellence et le trouble

On dira, avec raison, qu'agir pour améliorer la confiance en soi des personnes autistes est une nécessité. Certes. Dans mon cas, et pas que dans le mien, la question était néanmoins plus complexe. J'avais gardé cet étrange mélange psychologique entre la mauvaise estime de soi, le syndrome d'ancien premier de la classe et l'état d'esprit du cancre. Dans cette optique, pour ne prendre qu'un exemple, avoir une très bonne note, nettement meilleure que celle venant juste après, est une véritable claque. Montre que je suis bizarre. Que quelque chose cloche. En fin de lycée, quand je voyais que tel camarade de classe, qui avait travaillé sérieusement ses cours de maths, la veille jusqu'à minuit ou 1 heure du matin, obtenait 13 ou 14 lors du contrôle, ce qui passe pour une bonne note en terminale, tandis que moi, qui n'avais strictement rien révisé ni préparé, qui avais bâclé le contrôle en quelques minutes, je recevais 19 ou plus, que pouvais-je penser ? Qu'il y avait complot pour ou contre moi ? Que c'était une farce bêtement prolongée ? Un hasard ? Hypothèse qui s'effrite quand on l'invoque trop. Ne reste que le sentiment de bizarrerie. D'autant plus que trouver des réponses ou des conseils de comportement dans ces cas-là relève de l'impossible. Faut-il « compenser » par les notes, c'est-à-dire faire des erreurs exprès ? Faut-il faire semblant de réviser pour justifier ses notes ? Faut-il faire semblant, pendant le contrôle, d'avoir mille difficultés, et rendre la copie à la dernière seconde, en soupirant ? J'ai essayé les trois stratégies. Aujourd'hui encore, à la fin des partiels à l'université, je dis parfois « l'année prochaine je tâcherai de faire mieux », comme pour faire passer un message d'échec rassurant. À d'autres moments, je soupire très fort quand on me donne la feuille avec l'énoncé, pour faire savoir à quel point tout est difficile pour moi. Ce qui amuse mes camarades de classe qui me connaissent, et donc m'incite à recommencer mon petit numéro pour leur faire plaisir. Naturellement, il y a une quinzaine d'années, ces petites astuces m'étaient inconnues. Hors université, quand on me pose des questions et que je sais la réponse, même maintenant, je suis souvent fort gêné : est-il correct de donner la réponse ? Est-il normal que les autres ne la sachent pas et moi oui ? Un ami avec autisme a dit devant moi à une psychologue, sans nécessairement percevoir d'ailleurs les conséquences sociales de son propos : « Je croyais que ceux qui faisaient des études étaient cultivés partout. » La psychologue, assurément compétente dans son domaine, ignorait en effet les marques des moteurs d'avion et même la capitale du Belize. Le savoir et le savoir social sont deux éléments éminemment disjoints.

Eu égard à ces circonvolutions, les premiers mois de Sciences Po, ironie du sort, ont représenté un certain soulagement : les matières, aux antipodes de celles du lycée et de mes intérêts, m'étaient pour la plupart inconnues, et une fois de plus j'étais probablement le plus jeune de la classe, n'ayant pas fait de prépa. D'autres sources de perplexité, j'allais dire d'équations sociales à résoudre, allaient néanmoins prendre le relais.

Socialisation : comment échapper à Basile ?

Il est temps d'aborder les moments les moins plaisants. Les étudiants avaient l'habitude de se rencontrer après les cours – les mauvaises langues disent pendant – dans l'un des deux ou trois petits restaurants ou cafés, ne me demandez pas la différence entre ces deux types d'établissement, qui entourent la rue Saint-Guillaume où sont sis les bâtiments les plus importants de Sciences Po Paris. À l'époque, et cela n'a pas tellement changé, je n'allais jamais seul au restaurant, et ignorais même que l'on pouvait entrer dans un restaurant sans autorisation expresse.

Je garderai longtemps en mémoire la funeste scène : alors que la première année s'achevait, après le dernier cours mes camarades de classe décidèrent d'aller dans le petit bar (ou café ?) du coin : le mythique « Chez Basile ». À Sciences Po, tout le monde bien entendu le connaît, le fréquente, à tel point qu'il n'est pas même nécessaire de le nommer, chacun comprenant d'un geste où est la prochaine destination. Pas moi. Je passais devant « Chez Basile » plusieurs fois par jour, sans lever la tête. Je connaissais Saint-Basile-le-Bienheureux à Moscou, mais non Chez Basile. Une bonne décennie plus tard, songeant aux pages de ce livre, je me suis enfin rendu compte que j'ignorais l'essentiel.

Revenons à la petite histoire. L'un de mes camarades de classe m'invitait avec insistance, répétant : « Mais viens ! Viens, Josef… » Terrorisé, je ne savais que répondre à une invite qui portait sur un élément inimaginable pour moi. Il avait eu sa propre lecture des choses et m'a proposé de me payer la consommation. Perdu, je m'étais enfui.

Peut-être que dans les nombreuses situations de ce type, chercher à qui jeter la pierre n'est pas une démarche optimale. Il est trop simple de conclure à, au choix, la méconnaissance de l'autisme par mes camarades ou, même, dans les moments de paranoïa, à leur mauvaise nature intrinsèque. Symétriquement, affirmer que le résultat était issu de mon choix n'est pas tout à fait exact. Le problème est partagé. Sa principale lueur d'espoir tient à ce que, correctement appréhendé, il peut déboucher non sur un constat d'échec, mais sur des pistes pour mieux faire face aux situations analogues à venir.

Il serait trop facile et inexact de conclure à un diagnostic de troubles psychiques à guérir. Prenons un exemple : si quelqu'un vous propose de visiter une base secrète des Martiens à côté de chez vous, accepteriez-vous d'y aller sur-le-champ ? Probablement que, ignorant comment vous conduire face aux habitants de la base en question, vous auriez un comportement analogue au mien. Pourquoi ce qui est causé par les Martiens est normal, alors que ce qu'entraîne Basile est pathologique ? Les Martiens sont peut-être des personnes fort agréables. Question d'habitude, de fréquentations et de normes sociales. L'analogie n'est pas tirée par les cheveux : après tout, j'avais mangé au restaurant avec mes camarades à peu près aussi souvent que vous l'avez fait avec des Martiens. De ces mauvais jugements, j'en avais moi aussi, naturellement : ils sont l'une des choses les mieux partagées. Pourquoi m'inviter soudain, quand ils n'avaient pas montré beaucoup de signes de gentillesse pendant l'année, du moins ceux que j'avais perçus ; maintenant, vont-ils se défouler sur moi, monter un sale coup ? Qu'est-ce qu'ils veulent ? Quelle idée d'aller au resto ? Cela sert à quoi ? Quel est l'intérêt d'y aller, l'année est finie, et, chic, on peut rentrer chez soi et bouquiner tout l'été... Le jus d'orange, on peut le boire à la maison. Pour faire une confidence : cet été, un groupe d'étudiants m'a invité à déjeuner près de l'Institut des langues étrangères de Samarkand où je suivais des cours. Eh bien, j'ai eu à peu près la même attitude, à peine plus polie je le crains, qu'il y a toutes ces années près de Chez Basile. Les apprentissages ne sont pas aussi simples qu'attendu – même chez ceux qui les prêchent.

Le propre de l'angoisse, quand on la vit, c'est qu'elle provoque un effet paralysant, on ne peut pas forcément réfléchir en toute lucidité. Les autistes, de grands anxieux, deviennent et passent, parfois, pour des acteurs irrationnels. Alors que je crois que leur angoisse a des raisons, un mécanisme causal clair.

Pour le dire autrement. Si on m'avait dit : le dernier jour de classe, le cours se finit à 17 heures, à 17 h 10 il faut entrer dans le café Chez Basile et s'asseoir à la première table, dire au monsieur ou à la dame : je veux un jus d'orange. Sachant cela deux mois à l'avance, j'aurais discrètement repéré les lieux, j'aurais peut-être regardé sur Internet − même si, à l'époque, Internet n'était que balbutiant − ou me serais documenté autrement. Et j'aurais sans doute mieux su faire face. Y compris en racontant peut-être quelque vieille histoire survenue au Basile, que même les employés ignorent, et qui aurait pu faire illusion sur le fait que j'étais un connaisseur du lieu.

Jeux sociaux

Tandis que, au tout début de mon passage à Sciences Po, je ne voyais pas les interactions sociales de mes camarades (ne parle-t-on pas parfois de « cécité mentale ? »), petit à petit, je commençais à en percevoir certaines. Un peu comme lorsque, ignorant tout des champignons, on se retrouve en forêt avec un spécialiste ; tandis que l'on ne voit rien, peu à peu, grâce à ses explications, on se rend compte de combien de champignons on est entouré.

D'ailleurs, la petite histoire de Basile a apporté certains éclairages sur ce point : j'ai bien ressenti la gêne et la volonté au moins d'un camarade de classe à changer la situation.

Durant ma première année à Sciences Po, je me rendais également compte, épisodiquement, que les autres entretenaient des contacts « occultes » dont j'étais quelque peu exclu. Sur la quinzaine d'étudiants de ma classe, je compris que si je disais bonjour personne ne refusait de me dire bonjour ; mais je ne disais bonjour qu'à un ou deux, puis peut-être quatre ou cinq d'entre eux, m'attirant chaque fois ou presque leur réponse, dans un mécanisme assez amusant.

J'avais réussi à raconter quelques premières blagues. Notamment, en fin d'année, je me souviens, j'avais réussi à faire rire. Dans la salle, les tables étaient regroupées en cercle : on pouvait faire le tour des tables et s'asseoir n'importe où. Il y avait trois étudiants au moment de mon arrivée un peu à l'avance en cours, et à l'entrée j'avais fait le long tour pour m'asseoir, alors que je pouvais prendre un chemin plus court. L'une des filles m'a interpellé pour me demander pourquoi je faisais tout ce chemin-là, et j'avais réussi à dire : « Tu ne sais pas que je me déplace toujours dans le sens trigonométrique ? » Cela les avait amusés. Et moi ça m'avait fait plaisir parce que j'avais réussi.

Toutefois, je n'étais qu'à une fraction des aptitudes relationnelles attendues. C'est alors que je compris que tout ne se passait pas tout à fait comme prévu dans les textes officiels, et que, parfois, des petites entorses au règlement étaient le prix à payer pour les contacts sociaux. Un soir, durant l'hiver 1999-2000, par une de ces nuits qui tombent tôt, j'étais sorti de Sciences Po une vingtaine de minutes plus tard que d'habitude, le temps de régler quelques questions de livres. En allant à la station de métro, j'ai vu deux de mes camarades de classe qui s'embrassaient. Cela m'a un peu choqué. Pas sur le plan éthique. Mais parce qu'il ne m'était jamais venu à l'esprit que mes camarades restaient à proximité de l'établissement après la fin des cours : comme les profs nous disent toujours de travailler dur, je n'imaginais pas que les autres ne rentraient pas tout de suite travailler chez eux. Après, aussi, viennent toutes les questions : est-ce que je dois leur dire au revoir ou pas ? Être impoli vaut-il mieux qu'être trouble-fête ? Cela a l'air tout bête, mais c'était un peu la découverte du monde pour moi qui pensais que quand on était étudiant à Sciences Po ou dans un autre établissement, conformément aux consignes de la direction, pendant l'année universitaire on était censés travailler. Et non par exemple aller au cinéma. Sinon il y a une contradiction entre le fait d'être étudiant et de passer une heure ou deux à ne pas être étudiant. Peut-être que des fondamentalistes ou des talibans auraient apprécié.

Au début, il n'y a pas d'interprétation qui vienne à l'esprit. Ce n'est qu'en réfléchissant, plus tard, que l'on commence à comprendre certaines choses, et à se dire qu'après tout certaines règles ne sont pas forcément à suivre, ou ne sont pas à prendre au pied de la lettre. Toute la question est bien sûr de savoir jusqu'à quel point on juge normal qu'il y ait des entorses aux règles. Entre la vision officielle, où les étudiants travaillent dur pour l'excellence, et la vision cynique subversive, où Sciences Po est le maquillage respectable d'un lupanar où tout repose sur l'appétit financier et sexuel de maîtres prédateurs et sur le mensonge généralisé, toutes les opinions sont possibles. Toutes les attitudes également sont présentes, du moins tel est le sentiment que je retire de plusieurs témoignages entendus et racontés sous le sceau du secret. Cela montre également à quel point « normaliser » un autiste peut mener à des apories, puisque chacun des « modèles » est différent, et souvent, hélas, n'en est aucunement un sur le plan éthique.

Histoires cocasses et apprentissage

Sciences Po, comme tous les lieux orgueilleux, fournit sont lot d'histoires cocasses. Elles ont contribué à ma formation, peut-être en mal, peut-être en bien ; elles m'ont en tout cas rendu plus cynique que je ne l'étais avant. D'ailleurs cet apprentissage se poursuit même aujourd'hui ; il y a à peine quelques semaines, lors d'une rencontre suivie d'une discussion privée, j'ai appris de la bouche de la personne en question, chercheuse reconnue à Sciences Po, auteure d'articles publiés dans la presse la plus respectable qui soit, entre autres sur un certain pays, ne savait ni combien ce pays avait d'habitants, ni quelles langues on y parlait, et bien sûr n'y était jamais allée. Elle a une réputation d'excellence, alors que moi, pauvre ignorant, je n'ai jamais rien osé publier sur ce même pays où je suis allé plusieurs fois, dont j'ai passé des années à apprendre l'une des langues et à en découvrir une deuxième puis une troisième. Le plus remarquable est sans doute que ces quelques points ne semblaient en aucune manière troubler la sereine assurance de mon interlocutrice ; elle m'avait au demeurant elle-même posé les questions susdites. Quant à moi, j'ai joué le jeu, feignant de ne pas percevoir le comique de la situation.

Mais revenons en arrière et à mes premières découvertes. Ce camarade de classe dont la presse, y compris anglophone, parlait déjà à l'époque, grâce au rôle de ses parents, aujourd'hui jeune homme politique en quête de pouvoir, et dont une partie difficilement appréciable du succès était liée à son long cou et son aptitude à décoder, mieux que moi-même, les hiéroglyphes sur ma copie lors des examens. Ou encore cette camarade, fort gentille, l'une des rares à me saluer parfois d'elle-même, timide et ayant sans doute une très mauvaise image d'elle-même, qui, ayant été la seule de la classe à devoir passer au rattrapage en fin d'année, avait demandé mes notes de cours pendant les vacances d'été, avant de me les renvoyer avec un adorable petit mot. Ce fut une surprise de la voir, quelques années plus tard, journaliste fort réputée, tant je ne pouvais m'attendre à ce qu'elle exerce ce métier. Tout a, hélas, entre-temps évolué : son apparence n'a plus rien à voir – épaisse couche de maquillage et bijoux –, le débit ainsi que le ton de sa voix ont changé du tout au tout. Et, signe qui peut-être en dit long sur les mutations intérieures, quand je lui ai écrit deux petits mots d'ancien camarade de classe, le silence fut ma seule réponse. En somme, je ne peux pas totalement regretter d'avoir été à Sciences Po : j'aurais manqué, sans cela, un certain nombre de petites histoires révélatrices que l'on n'apprend pas ailleurs.

Je crois qu'en matière d'histoires cocasses j'ai probablement surpassé la plupart de mes camarades de classe. Je m'en tiendrai à une seule, en osant avancer un nom, ne serait-ce que du fait de ma sensation de lui devoir des excuses. Était impliqué un de mes anciens profs de première année, Bernard Gaudillère, par ailleurs ancien membre du gouvernement Mauroy, un de ces hommes politiques à l'ancienne, au premier rang des décisions, mais que l'on ne voit jamais dans les médias, par choix personnel. À l'issue de la première année, on nous avait distribué des fiches d'évaluation : on était censés, pour chacun des enseignants, écrire un petit texte contenant notre appréciation. Il y avait inscrit en haut : remplissez ce formulaire en toute honnêteté, ou quelque chose comme cela. Ce que je fis. Pire, je signai ma lettre, chose qu'il ne fallait pas faire. J'énonçai mon jugement avec encore moins de précautions qu'aujourd'hui. Et surtout, je ne savais pas du tout que je pouvais blesser. À l'époque, je n'y avais guère accordé d'importance, et d'ailleurs je ne me souviens absolument pas du contenu de la lettre. Je ne croyais jamais revoir mon ancien prof, prédiction qui s'est d'ailleurs réalisée.

Mais j'eus indirectement de ses nouvelles. Bien des années plus tard, mon patron à la mairie de Paris, Hamou Bouakkaz, a évoqué mon nom devant celui qui était devenu entre-temps directeur de cabinet du maire, numéro deux de tout l'édifice. M. Gaudillère s'est alors levé, a ouvert le tiroir de son bureau et en a extrait la lettre. Une lettre tellement traumatisante qu'il l'avait gardée pendant dix ans, transportée même lors de ses changements de bureau. Il aurait pu me licencier. Dire qu'il ne voulait pas de moi à la mairie. Il a assurément une grandeur d'âme, puisqu'il ne l'a pas fait.

Devenir allemand ?

Sciences Po a un avantage : son extériorité, comme diraient les grincheux. Ou plutôt l'année à l'étranger qu'il inclut dans son cursus. Pour moi, ce fut une année en Allemagne. Beaucoup de petits drames familiaux et intérieurs avant le départ, mais comment résister à l'amour de l'Allemagne que, jeune germanophile à l'excès, j'éprouvais alors ? En plus, j'avais obtenu deux financements de la part de l'établissement. Je me retrouvais donc, à peine majeur, à quelques kilomètres au sud de Francfort.

Changement de cadre. J'ai passé une très belle année, dure à certains égards, mais j'en garde un souvenir ému. J'avais la liberté de choisir mes cours, je picorais un peu dans toutes les matières disponibles à la fac. C'est là aussi que j'ai commencé à réfléchir au dogme de l'excellence.

Notamment en me rendant compte que les cours d'économie que je fréquentais, avec des formules mathématiques très compliquées, des profs particulièrement spécialisés, étaient vraiment de l'économie poussée à très haut niveau. Tandis que, à Sciences Po, ce qui se faisait ne paraissait être que du baratin. Le décalage était tellement bluffant que j'ai dû me rendre à l'évidence, malgré mes réticences et mon obéissance à ce que l'on m'avait dit : en fait, à Sciences Po, en économie comme peut-être dans d'autres matières, ce pourrait bien être des charlots.

Il y eut d'autres prises de conscience. J'assistais en Allemagne à des cours moins conventionnels, à l'image de ce cours de sciences politiques avec un prof très provocateur, spécialiste réputé des paradoxes électoraux. En d'autres termes, des situations où le résultat électoral était l'inverse de la volonté des électeurs. Ses cours étaient fort argumentés, mathématisés : il prenait en exemple un corps électoral simulé – supposons que tous les habitants de la commune veuillent installer une piscine, et que personne ne veuille installer un terrain de tennis –, avant de montrer, point par point, comment, en adaptant le mode de scrutin, on pouvait leur faire adopter le terrain de tennis à une majorité écrasante. Chaque fois, le cours bihebdomadaire de quarante-cinq minutes se terminait, précisément à la minute de la sonnerie, par l'addition finale et son grand sourire. Un peu perplexe, j'avais envoyé par email deux exemples numériques, sans aucun commentaire politique, au seul ancien camarade de classe de première année avec qui j'étais encore en contact. Sa réponse ne comportait qu'un mot : « Fasciste ! » Il est des choses qu'on ne peut dire à Sciences Po. Et un style rhétorique à adopter, par exemple sur les instances élues représentantes de la nation pour le bien commun, avec si possible beaucoup de majuscules.

Cette année en Allemagne a aussi été celle des prises de conscience plus rudes dues à mes défaillances, mes inaptitudes sociales. Par exemple prendre le train pour venir de Paris ou y retourner pouvait se révéler une expérience délicate. Je n'avais aucune des aptitudes requises pour savoir comment s'asseoir à la place réservée si quelqu'un y est déjà assis. Et comment acheter des cartes de réduction. Rentrant à peu près une fois par mois, il me fallait une carte de réduction en France et une en Allemagne, parce que les chemins de fer des deux pays n'étaient pas bien coordonnés à l'époque. Il fallait mener des négociations qui se révélaient difficiles pour moi ; à mon grand étonnement, je ne parvenais jamais au même prix du billet, parce qu'il dépendait de la manière dont je menais la négociation. Quand on savait très bien négocier, on pouvait aboutir à des prix bas. Et là aussi j'ai vu que les textes de droit, finalement, pouvaient être interprétés de diverses façons. Que l'employé du guichet n'était pas l'être parfait qu'on pouvait croire, et que, en fin de compte, il ne savait pas trop lui-même.

Au cours de mon séjour en Allemagne, j'ai eu l'idée de devenir allemand. J'imaginais devenir un personnage connaissant parfaitement les codes sociaux du pays. Assez vite je me suis rendu compte qu'être allemand ne consistait pas à avoir lu Goethe ou Schiller, et à pouvoir réciter je ne sais quel poème. C'est beaucoup plus arbitraire que ce qu'on peut croire.

À ce titre, une petite histoire d'apprentissage. J'étais logé dans une résidence universitaire : chacun une chambre, et une cuisine à partager entre quatre chambres. Dans deux autres chambres il y avait deux autochtones. À l'époque, j'apprenais un peu de calligraphie médiévale, l'un des seuls moments de ma vie où j'essayais de produire des choses artistiques de mes mains. Donc j'avais écrit dans la plus pure calligraphie vieille-allemande : « Que vive la patrie allemande. » J'avais collé le manifeste dans la cuisine commune. Cela m'a valu une réaction désastreuse de l'un des colocataires parce que, d'une part, il lui a paru grotesque que moi, le petit Français, j'écrive pareilles choses, et d'autre part, ce dont je ne m'étais pas rendu compte, c'est que j'avais collé cela au-dessus de la poubelle. Il avait arraché la petite calligraphie, et collé sur la porte de ma chambre une feuille déchirée, avec des lettres griffonnées au stylo : « Vive la France. » J'ai compris que j'avais fait une gaffe.

Les dernières années

La fin de mes études à Sciences Po ne mérite pas de longs commentaires. Elles furent difficiles pour une autre raison, à savoir que je commençais à être sous neuroleptiques. La dernière année, notamment, je suis peu allé en cours. J'avais une excuse : j'avais réussi à m'arranger pour dire que je faisais un mémoire de DEA, ce qui était vrai. 95 % des étudiants, voire plus, n'en faisaient pas et ignoraient cette possibilité de dérogation aux cours de dernière année. Autant dire que le mémoire de DEA avait en partie réussi à dissimuler le fait qu'avec certains comprimés je dormais quasi en permanence, ne pouvais parler et avais maints autres symptômes encore.

Les dernières semaines à Sciences Po ont été complètement à côté de la plaque. Je me suis alors convaincu que j'avais une maladie mentale assez prononcée.

À la toute fin, je n'ai bien sûr participé à aucune des cérémonies. Ni photo ni pot ni autre singerie des jeunes loups aux dents longues. D'ailleurs, je crois que personne, à part quelques étudiants en DEA qui à l'époque n'étaient pas dans le cursus « normal » de Sciences Po, ne savait qu'il y avait un étudiant à mon nom.

Aujourd'hui, dans mon for intérieur, je ne me considère pas comme diplômé de Sciences Po. Il faut l'afficher parfois sur les labels. Mais que faire ? Moi, c'est Josef. Le fait que je sois ou non diplômé de Sciences Po ou d'un autre établissement, c'est comme avoir ou non un mouchoir dans la poche. Il se trouve qu'il est là, mais on ne se définit pas par rapport à lui. On ne voit pas de l'extérieur qu'il est là. Il peut tout au plus servir, en cas d'urgence sociale, à évacuer le fiel.

Quand la foire des doctes continue

Une des choses amusantes en Allemagne, qui ne semble pas pratiquée en France, ce sont les titres des universitaires. Dans la brochure qu'impriment les universités en début d'année et qui recense leurs cours, chaque personnage montre ses titres : Dr, PhD, Prof, avec quelques sigles plus cryptiques. Certains sont tellement décorés que la ligne peine à tenir leurs particules : Sen em. Prof Prof h.c. Dr Dr h.c. Prénom Nom PhD JuDr ThDr et autres. Dans *La Nef des fous*[1], les doctes occupent une éminente place dans la compagnie. Je ne pensais pas alors finir par en faire d'une certaine manière partie.

À l'issue de Sciences Po, avec le sentiment d'être incapable de travailler, déjà sonné par les cachetons mais pas encore tout à fait, je décidai de m'inscrire en thèse. Après plusieurs épisodes et échecs dus à mes inaptitudes

---

1. Ouvrage allemand satirique et moralisateur du Strasbourgeois Sébastien Brant, écrit à la fin du XVᵉ siècle, qui est un véritable voyage à travers les différentes formes de folie.

sociales, je fus pris en pitié par un professeur allemand, Heinz Wismann.

Les premières années furent très difficiles, tant du fait de mon état de santé que de mes incapacités. Prenons un exemple : comment joindre mon patron pour prendre rendez-vous avec lui ? Par email, c'est compliqué ; il ne répond pas forcément, étant fort sollicité par ailleurs. Il ne m'avait pas donné son numéro de téléphone, parce qu'il pensait que cela circulait entre étudiants, ou qu'on s'arrangeait pour le trouver. De toute manière, même si j'avais eu son numéro de téléphone, pour moi il était impensable à l'époque – en 2003, 2004, 2005, voire 2006 – de téléphoner à quelqu'un. Le déranger. Lui demander un service. Et quand je réussissais, au bout de quelques années, à prendre mon courage à deux mains et à lui téléphoner, une fois qu'il décroche, qu'est-ce que je dis ? « Je voudrais avoir un rendez-vous avec vous »… impossible. Alors, j'essayais de le dire de manière détournée. Du coup, il ne comprenait pas ce que je voulais lui dire. Et les problèmes s'accumulaient. C'est-à-dire que, quand vous avez eu plusieurs expériences négatives, la donne se complique encore. Ces quelques lignes peuvent par ailleurs faire comprendre pourquoi je ne pouvais travailler en entreprise, hors poste spécialement adapté : savoir téléphoner, n'est-ce pas élémentaire ?

Ainsi, j'ai passé mes premières années de thèse dans une complète solitude. Avec les effets des médicaments, il y avait des cercles vicieux : quand vous ne sortez pas parce que cela vous est difficile, cela devient encore plus difficile. Même pour la personne la plus « normale » qui soit.

Le point le plus bas a probablement été atteint vers 2005 ou 2006 : à l'époque, sur le plan médical, les choses s'amélioraient, vu que mes doses de médicaments commençaient à baisser. Mais mes compétences sociales ne suivaient pas. Ma thèse était au point mort ou presque. Vers la fin de l'année calendaire, j'étais allé dans un centre s'occupant de l'emploi des personnes handicapées, habitué à recevoir des gens particulièrement désocialisés – du moins selon leurs propos. J'étais prêt à exercer, comme on dit, tout emploi. Ils ont discuté quelques minutes avec moi, m'ont fait remplir un formulaire, puis m'ont dit qu'ils ne pouvaient rien pour moi. Je me retrouvai dans la rue, conscient que la situation était plus compliquée que prévu.

3

Psy (-chopathe, -chiatre, -chologue, -chotique)

(Note au lecteur : ce chapitre, comme toute production due au délire, décousue, comporte moins de rubriques ou sous-chapitres.)

C'est à mon retour d'Allemagne, en un de ces derniers jours du mois d'août de l'an de grâce 2001, que j'ai poussé pour la première fois les portes d'un cabinet psy. Cabinet psy sans autre précision, car à l'époque la distinction entre psychiatre, psychologue et psychanalyste était bien floue pour moi, tous personnages fort importants à qui tout citoyen devait respect (et argent).

Jusqu'alors, aucun des différents spécialistes que j'avais rencontrés n'avaient porté de diagnostic sur mes bizarreries, mes angoisses et difficultés pathologiques à communiquer et, somme toute, à me conduire en société comme la majorité de mes concitoyens.

Au cours de mon long parcours psy, j'ai toujours eu en tête la fameuse plaque historique du Dr Petiot, « INTERNE DES HOPITAUX DE PARIS », et sur laquelle l'usage des majuscules sans accent empêchait de savoir s'il avait été « interne » ou « interné », la deuxième alternative étant la vraie. Pour la petite histoire, un des psychiatres que j'allais, plus tard, régulièrement consulter avait pour collègue dans son cabinet un homologue de l'illustre personnage, et donc la plaque murale donnant la liste des médecins affichait entre autres un certain « Dr Petiot ». Nul ne choisit son patronyme, du moins celui d'origine, et pourtant il en est de fâcheux, notamment pour l'exercice de certaines professions. Autre élément d'indistinction : tandis qu'en français « psycho », dans des expressions telles que « faire psycho », évoque plutôt une activité du supposément bon côté de la barre, à savoir celui de l'aliéniste, en anglais *psycho* se réfère plutôt à l'aliéné. Au tout début de ma triste carrière psy, ces éléments ne perturbaient pas trop mon sentiment de respect dû à ces personnes. Peu à peu, lentement, un doute allait grandir en moi sur l'identité effective des protagonistes. Aujourd'hui, diverses anecdotes savoureuses et observations, soit personnelles, soit rapportées par des amies psychologues, n'ont fait que renforcer mon pressentiment, le faisant accéder à son stade ultime, celui du rire. Freud disait, sauf erreur de ma part, que le bon paranoïaque devenait philosophe (serais-je visé ? En tant que parano je ne peux le nier) ; peut-être que l'on pourrait ajouter que le vrai aliéné devient humoriste – ou politicien, alternative plus fâcheuse. Quoi qu'il en soit, malheureusement, le duopole traditionnel de la psychiatrie aliéniste-aliéné allait se renforcer durant mes années psy d'un troisième élément, celui que j'oserais nommer l'aliénant.

Revenons pourtant à ce lieu médical de 2001. À vrai dire, j'ai plutôt tiré la porte que poussé : le local était tout petit. Une salle d'attente où une chaise pouvait à peine entrer, et un lieu de consultation à peine suffisant pour trois chaises, un bureau et l'inévitable divan. Je n'avais pas dit, alors, à mon très honorable hôte que le charme de ses appartements était l'une des raisons majeures de ma fidélité à son cabinet.

Le premier rendez-vous fut plein de surprises. J'ignorais tout de ce qui m'attendait. Ce n'était même pas moi qui avais obtenu le rendez-vous – si ce rôle m'avait été dévolu, vu ma phobie du téléphone à l'époque, je ne l'aurais jamais fait, ce qui aurait pu avoir des conséquences positives entre autres sur le plan financier, tout en me faisant manquer quelque chose de majeur : être psychopathe et ne pas le savoir, c'est un peu comme être millionnaire et ne pas le savoir, bien dommage.

Pourquoi y étais-je allé ? Question en apparence complexe, mais la réponse en était sans doute d'une simplicité désarmante. Je me rendais bien compte que, contrairement à mes camarades de classe de Sciences Po, j'étais incapable d'assumer un « rôle dirigeant » comme on disait (soit dit en passant, c'était exactement la formule des constitutions socialistes pour décrire le rôle du Parti). J'étais gêné de déranger pour si peu d'aussi importants personnages et étais convaincu qu'ils allaient me renvoyer à mes salades. Je n'espérais, en fait, qu'une sorte de coaching. Le plus pervers dans l'histoire est que, sans doute, si j'avais été dans une classe de matheux ou d'informaticiens, où les apparences et jeux sociaux pèsent moins lourd, je n'aurais pas ressenti aussi fortement ce décalage, et ne serais pas devenu officiellement aliéné. Une sorte de syndrome Rosemary Kennedy[1], où c'est la présence d'un individu dans un milieu donné qui crée le syndrome pathologique, et sur lequel je reviendrai plus loin. Et puis il faut ajouter que j'étais curieux, et rencontrer un psychanalyste était un des ressorts de ma démarche sur le plan intellectuel, une rencontre qui devait sans nul doute se révéler passionnante.

À ma grande surprise, à la fin de mon rendez-vous d'initiation, mon aliéniste m'avait demandé de revenir. L'autre

---

1. Voir p. 190.

surprise avait été l'annonce de son tarif pour la séance d'une vingtaine de minutes : tarif étudiant, m'avait-il dit, 500 francs. Cela m'avait naturellement perturbé, puisque, en une séance, je dépensais peut-être le dixième du revenu mensuel total de ma famille, tout en me rassurant sur un point : mon aliéniste était quelqu'un de remarquable – plus tard, j'allais découvrir la liste de ses titres et marques de prestige au sein de la communauté psychanalytique de Paris.

Au cours des deux premières séances, il n'y eut aucun impact apparent. D'innocentes causeries. Je cherchais, avec plus de foi que de résultats, le sens profond, métaphysique, qui était certainement caché dans les cinq ou dix mots et autant de grognements que l'aliéniste prononçait en une séance. Peu de temps après, il me suggéra, de façon particulièrement aimable, d'aller également chez un de ses collègues, et qu'ils travailleraient en binôme – ce sur quoi il avait menti parce qu'en fait il n'allait y avoir aucune coordination entre eux.

Le fameux collègue était, quant à lui, « le bourreau ». Celui qui allait faire le sale boulot. Changement de style : le deuxième cabinet était grand, au cœur de Paris. Le maître des lieux y trônait, jeune et pourtant chauve, entre des piles de bouquins, dont il a toujours obstinément refusé de me donner un commentaire, de m'en proposer un à lire ou de m'en indiquer son préféré. D'ordinaire, les gens qui ont beaucoup de livres aiment bien lire, et rebondissent volontiers quand on leur pose une ou deux questions, s'ensuit une discussion et un bon moment. Mon psychiatre était, lui, du genre crispé. Dès ma première séance, j'eus droit à une ordonnance. La première mais pas la dernière. C'était également la première fois que je devais aller dans une pharmacie tout seul. Face à ma panique, mon maître m'avait menacé, et ordonné d'y aller, usant de toute la violence de son verbe et de tournures rhétoriques éprouvées par des années de pratique. Le nom du médicament, Solian[1], ne m'évoquait rien. Il me fut prescrit sans la moindre explication, ni ce à quoi il était destiné, ni ce qu'il en attendait, ni, surtout, mais là je ne tarderai pas à les découvrir, quels en étaient les effets secondaires. Effets secondaires ou effets primaires, je ne sais, tant avec ce type de produit le flou règne dans tous les sens du terme.

Avec les molécules, je découvrais un autre aspect de ma thérapie : le rapport d'autorité entre le médecin et son patient. Évoquer un dialogue avec son aliéniste est un terme impropre, tant la parole de ce dernier est d'origine divine, tombe sur l'ignare et le fait marcher. Au demeurant, le dialogue ne peut avoir lieu pour une raison plus simple : avec l'augmentation des doses, le patient devient rapidement aphasique. Aggravation de son état pathologique, qui exige une hausse et une multiplication des médicaments.

Aucun mot, aucun diagnostic n'a été posé ni par l'un ni par l'autre sur les symptômes dont je souffrais. Je pense que c'était une stratégie, j'allais dire vicieuse, voire perverse : lui-même ne fait pas le mal, mais il appelle son collègue pour cela.

Les premiers jours, je commençais, comme prescrit, par de petites doses. Au fur et à mesure des rendez-vous, l'ordonnance des médicaments s'est allongée jusqu'à ce véritable choc lorsque la pharmacienne, en me tendant le sachet de médicaments pour trois semaines, m'a annoncé un jour : « Voilà, monsieur, 2 400 francs. » Je compris alors

---

1. Appartenant aux molécules prescrites en psychiatrie, le Solian est un médicament atypique car, en fonction des doses employées, il peut être utilisé comme neuroleptique ou comme antidépresseur.

que j'étais encore plus aliéné que prévu. Je disposais de fort peu de réponses. Aucun mot, aucun diagnostic n'a été posé à cette époque sur la pathologie dont je souffrais. Celui qui prescrivait des médicaments ne donnait aucune explication, tandis que l'autre (le psychanalyste) ne disait rien du tout ou presque durant les séances. Cet homme était d'ailleurs fort mystérieux. Quand j'appris qu'il était non seulement psychanalyste, mais également psychiatre, je me suis demandé pourquoi il ne me prescrivait pas de médicaments lui-même. Question à laquelle je n'ai pas de réponse à ce jour, si ce n'est un éventuel jeu de carotte et bâton entre les deux. Une autre énigme, toujours sans réponse, tient au fait que, durant toute ma thérapie, c'est-à-dire de longues années, jamais il ne me demanda de m'allonger sur le divan, alors même que je savais que d'autres de ses patients l'utilisaient (il le remettait en ordre au début de mes séances). Aucun des honorables praticiens que j'ai consultés après lui ne me demanda non plus d'adopter cette position horizontale pourtant bien connue des adeptes du genre, et personne ni au sein de la profession ni en dehors ne me donna jamais d'explications compréhensibles à ce traitement de faveur ou non... J'en suis à nouveau réduit à mes jeux de mots : divan vient du terme arabe *diwan*, chambre principale et par extension le gouvernement lui-même, qui vient du persan *divân*, qui désigne l'œuvre complète d'un poète. L'intéressant est que le persan connaît un terme phonétiquement proche, *divâne*, qui veut dire « fou ». Me revoilà à la maison, comme on dit en tchèque. À ceci près que j'en étais précisément privé. Sans divan, pire que sans papier.

Une précision peut être apportée pour la suite du récit. J'ai éprouvé, quasiment dès mes premières années, un certain intérêt, quoique rarement dominant, pour la psycho.

J'ai lu plusieurs bouquins, écumé les rayons correspondants des bibliothèques municipales. Je ne sais pas quelle était la réaction des bibliothécaires voyant un gamin emprunter des manuels de psychiatrie et neurologie ; je n'y prêtais aucune attention. Mon intérêt avait connu quelques coups d'arrêt, par exemple ce jour, en Allemagne, où j'avais vu, dans la liste des maladies mentales dressée par un vieux livre, le fait de lire compulsivement des manuels de psycho. J'avais lu également, et aimé, quelques témoignages de gens passés par les asiles. *L'avenir dure longtemps,* du philosophe Louis Althusser, avait été mon livre de chevet, comme on dit : je le lus à plusieurs reprises au cours de mon adolescence, aimant beaucoup son style rédactionnel, sa teneur dramatique hors du commun. D'autres ouvrages analogues allaient suivre, notamment dans les dernières phases de ma thérapie, quand je pouvais à nouveau lire. Je n'ai, hélas, découvert Artaud que sur le tard. Encore aujourd'hui – cela peut paraître incompréhensible, voire stupide de ma part –, cela m'intéresserait de travailler dans les hôpitaux psychiatriques. Fantaisies irréalistes sans doute, eu égard à mes contraintes.

Pourtant, malgré toutes les déconvenues que j'ai connues, je garde un attachement à ce domaine, et à ses multiples thématiques absolument passionnantes, humainement et intellectuellement.

Dans les premiers temps de ma thèse, luttant encore contre les neuroleptiques (lire une page banale peut être l'exploit de la semaine avec certains produits), j'ai lu un certain nombre d'ouvrages de Michel Foucault. Foucault n'était pas du tout médecin, ni psychiatre, ni rien, mais il était mû par cette curiosité que j'avais moi aussi, à une bien moindre mesure, tout en ayant pu la satisfaire en partie au moins.

La difficulté pour moi, et la cruelle déception, est que mon parcours psy ne m'avait absolument pas aidé à découvrir la psychiatrie telle que je l'imaginais. Quand vous êtes patient ou client d'un psychiatre, vous ne pouvez ni l'observer ni le questionner. Cela a donné lieu à nombre de malentendus durant ma thérapie. J'ai dû continuer mes découvertes seul, en cherchant sur Internet le nom du Solian, puis des produits qui lui ont été adjoints. Et je me suis retrouvé, subitement, en quelques jours, dans un univers qui était relativement habituel, c'est-à-dire un univers où le soleil se lève, se couche, mais mentalement asilaire. Pas réellement l'asile au sens physique ; plutôt son ersatz mental. Je me préparais à l'électrochoc − au sens premier, c'est-à-dire que bien sûr j'avais en tête tous les récits que j'avais lus de ceux qui étaient passés par là, et je m'attendais, par exemple, à trouver dans l'un des cabinets que je fréquentais la fameuse serviette imbibée d'eau salée que l'on mettait entre les dents avant l'électrochoc.

Grâce à Internet, grâce à une foule d'indices, j'avais subitement nombre de preuves que j'étais fou à lier. Réflexion faite, cela ne me paraissait pas tellement surprenant ; d'une part parce que je savais que j'étais complètement bizarre depuis toujours, et d'autre part parce que j'avais vu dans d'autres témoignages, chez Althusser notamment, qu'on pouvait devenir fou du jour au lendemain.

J'avais lu dans mes documentations sur les maladies en question que beaucoup, après un début un peu timide, prenaient de l'ampleur, notamment la schizophrénie. Donc j'étais persuadé que j'en étais au tout début. Une autre catégorie médicale justifiait tout : il y a des formes de schizophrénie sans signes apparents, du moins selon des manuels un peu anciens. Avec des termes plus récents, je crois que la schizophrénie déficitaire ou négative peut ne présenter aucuns signes positifs observables. En d'autres termes, on peut être fou à lier sans avoir d'hallucinations, d'illusions ou de fausses croyances. En étant parfaitement sain d'esprit en apparence. Le président Schreber[1] n'était-il pas, même dans ses pires moments, de fort agréable compagnie ? Je choisis sciemment le terme « président », un peu par dérision car, ce qui est remarquable, et qui a d'ailleurs fait la fortune historique de son écrit, est le mélange indétricotable entre la haute respectabilité sociale de ce grand magistrat de l'Empire allemand et sa folie la plus extrême. Une folie où on ne sait à vrai dire ce qu'il faut traiter ou pas, tant l'ensemble paraît délirant. Tout en étant remarquablement écrit, et fort argumenté, le patient ayant toujours été d'une exquise délicatesse et dignité. Je crois qu'un rédacteur actuel, reprenant le texte initial, moyennant quelques changements, aurait facilement pu en faire un texte paraissant sain, c'est-à-dire non aliéné. La folie ou son absence tient je crois avant tout à l'usage ou non de certaines phrases et tournures, indépendamment du contenu. Les plus désarmants et émerveillants sont les récits sur son parcours médical, les personnages qui y apparaissent étant encore plus involontairement comiques que le président lui-même. Autre curiosité, pour laquelle je n'ai toujours pas eu de réponse claire : pourquoi la

---

1. Le président Schreber était un magistrat célèbre en Allemagne pour ses délires psychotiques qu'il a racontés dans un ouvrage autobiographique, *Mémoires d'un névropathe*. En 1893, il est nommé président de chambre à la cour d'appel de Dresde. Victime d'insomnies qu'il attribue dans un premier temps à un surmenage, il est rapidement contraint d'entrer en maison de santé. L'année suivante, il se présente aux élections à l'Assemblée nationale allemande. À la suite de son échec, il fait une tentative de suicide. Quelques mois plus tard, en proie à de nombreuses hallucinations, il est suspendu de ses fonctions, mis sous tutelle et placé dans une clinique spécialisée pour malades mentaux. Il meurt à l'asile en 1911.

folie du président, tout comme celle d'autres personnages connus, à commencer par Nietzsche, ne correspondait-elle pas aux canons médicaux ? Médicalement, d'après la science actuelle, une folie telle que celle du président est, je crois, impossible.

Mes lectures confirmaient que j'étais beaucoup plus concerné par la folie que je ne le croyais, ou que mon entourage ne le pensait. Revint alors la fameuse question que je me pose régulièrement : dans le monde, est-ce que ce sont eux qui sont fous, ou est-ce que c'est moi ? J'avais ma réponse.

Quant à la « descente aux enfers », elle n'était pas une surprise. Le fait que le psychiatre que je consultais augmente les doses confirmait le fait que la schizophrénie était, comme il se doit, en plein essor, et que la folie qui avait, par miracle, su rester plus ou moins sans signe apparent, allait sous peu devenir pleinement apparente. D'ailleurs, mon « psychiatre-bourreau » l'avait dit clairement dans l'un des premiers rendez-vous : c'est soit ce comprimé, soit la garde à vue d'ici quelques jours.

En outre, j'avais lu – et un psychiatre me l'avait confirmé – que l'un des signes de la maladie mentale (et de la schizophrénie en particulier) tient en ce que le patient croit ne pas être concerné. Si vous additionnez tout cela, vous ne pouvez qu'être dans un état d'esprit fort particulier. De surcroît, là est la cerise sur le gâteau, j'en avais parlé autour de moi, j'avais dit : Préparez-vous ! Ma folie va sortir au grand jour ! Quand le corps médical vous assure que très bientôt vous aurez des hallucinations, vous vivez dans un monde de surveillance et vous guettez leur apparition. Par exemple, quand dans la rue ou à la maison vous entendez un bruit, la première pensée qui vous vient à l'esprit est : est-ce que cela ne serait pas une première hallucination ? Ensuite, vous allez vérifier, et la paranoïa s'installe.

Il y a eu un moment, vers le mois d'octobre ou novembre 2001, où j'ai véritablement basculé mentalement ; je suis passé dans un autre monde. Dans un monde qui était un peu une sorte de reconstruction intellectuelle d'un asile des années 1920, 1930, 1940. Au tout début, ce n'était qu'intellectuel. Assez vite, l'univers est devenu plus réel : avec l'augmentation des doses, l'élargissement de la gamme de médicaments, j'ai basculé physiquement.

A commencé un ballet interminable, qui a duré des années, de produits divers et variés. Je crois que j'ai dû essayer à peu près tous les médicaments existants en pharmacie, sauf l'Haldol[1] (en persan, *hal* est l'« état », et *dol* est en français juridique la « tromperie »). L'un de mes titres de gloire est d'avoir été, plus tard, sans le vouloir ni le savoir, l'un des premiers en France à prendre de l'Abilify, la troisième génération de neuroleptiques.

Chaque produit avait des effets différents. J'avais commencé, au début de ma carrière de « fou désigné », par le Solian à faible dose, 100 mg par jour, qui provoquait une simple somnolence et une incapacité à réfléchir. D'abord à réfléchir sur les choses compliquées, puis sur des choses beaucoup plus simples. Toutefois, contrairement à ce qu'on croit parfois et à ce qui est écrit dans certains ouvrages de médecine, la détresse émotionnelle et l'angoisse restent telles quelles, à ceci près que l'on ne parvient pas à les exprimer ou les suivre dans les processus mentaux. Dans mon expérience personnelle, je pense que la prise de Solian n'a pas réellement changé mon vécu intérieur ; en revanche, elle a créé un enfermement intérieur plus grand.

---

1. Antipsychotique utilisé pour le contrôle des symptômes des psychoses aiguës.

Les doses ont augmenté. Puis on a commencé à me prescrire les fameux médicaments correcteurs, lesquels ne corrigeaient ni les effets secondaires des autres comprimés, ni les leurs.

Ensuite, les doses de Solian ont beaucoup, beaucoup augmenté parce qu'elles étaient inefficaces sur le fond de l'affaire. Les effets secondaires neurologiques ont alors commencé à apparaître, et une ou deux fois par jour, tous les muscles de mon dos se contractaient très violemment et faisaient se tendre ma colonne vertébrale de manière absolument incontrôlable et particulièrement douloureuse. Ce n'étaient pas les moments les plus agréables de la journée. Je souffrais également d'une perte de contrôle de la mâchoire, qui s'immobilisait dans des positions insupportables. Mes parents appelaient le Samu, sans grand succès. Mon discours tomba à zéro.

Au bout de deux ans à peu près, et face à ces difficultés, mon aliéniste constata que non seulement le Solian ne marchait pas (et moi non plus), mais que les effets secondaires étaient majeurs. Du jour au lendemain, mon « psy-bourreau » a dit : « On lâche le Solian et on passe au Zyprexa[1]. » Au début, on a un peu une sensation paradisiaque, parce que, quoi que l'on dise, par rapport au Solian, le Zyprexa est nettement plus évolué : plus d'effets secondaires sur les muscles du dos et la mâchoire. Mais il a ses spécialités maison ! L'une d'elles étant que, comme quasiment tout le monde, je dormais beaucoup, beaucoup, beaucoup. Quasiment tout le temps. À une époque, je dormais vingt-trois heures trente par jour. Le fait de me lever pour aller aux toilettes était une pensée particulièrement angoissante parce que, quand je me réveillais à moitié, je

---

1. Autre médicament de la famille des antipsychotiques qui est censé agir comme régulateur de l'humeur.

devais me rendre à l'évidence : il faudra vraiment que je me lève d'ici quelques heures. Situations d'une ironie mordante quand on sait que le Zyprexa est souvent prescrit pour améliorer la sociabilisation des autistes.

Un autre effet secondaire était plus que le bienvenu chez moi : le Zyprexa fait grossir. Pour un anorexique, rien de mieux. Je suis passé en quelques mois d'un poids qui tournait autour de 59 kilos, ce qui n'était guère flatteur pour quelqu'un de près de deux mètres, à 110 ou 115 kilos. Et plus.

Toutefois, la malédiction continuait : seul, le Zyprexa ne marchait pas, bien que le patient, lui, marche un peu mieux. Ainsi, mon aliéniste a inauguré l'époque des cocktails. Et pourtant. Il est bien connu qu'on déconseille aux psychiatres de prescrire plusieurs neuroleptiques en même temps. Mais j'y eus droit. Toute la question est de savoir si le cocktail additionne les qualités ou les effets secondaires. Les miens étaient plutôt dans la seconde option. Échec donc, une nouvelle fois.

À cette époque, mon parcours psychiatrique a pris un nouveau tournant car les dégâts des premières années étaient tels qu'une amie me conseilla de consulter un nouveau spécialiste, que nous pourrions appeler le « psy Risperdal[1] », du nom de ce nouveau médicament qu'il allait me prescrire, une molécule censée stimuler quelque peu les patients amorphes ou catatoniques. Les cocktails que je prenais allaient peu à peu se transformer en une monoculture de Risperdal, avec une hausse progressive des doses, toujours faute de résultats probants sur ma pathologie profonde.

L'une des difficultés du Risperdal était pour moi qu'il me rendait encore plus anxieux que je ne l'étais par

---

1. Antipsychotique appartenant à la famille des neuroleptiques de deuxième génération.

nature. Commença alors ma phase « anxiolytiques ». J'ai dû explorer toute la gamme de cette famille de médicaments. Leurs effets d'accoutumance sont majeurs, contrairement aux neuroleptiques, ce qui ne manqua pas de me faire vivre une nouvelle expérience.

Après les neuroleptiques et les anxiolytiques, vinrent pour moi quelques petites digressions du côté des « antidépresseurs ». Je n'ai pas vérifié les stocks depuis des années, mais je crois que les quelques caisses de médicaments qui me restent, si la date de péremption n'existait pas, pourraient, à la revente au marché noir, m'assurer d'hypothétiques vieux jours.

Un élément, totalement inattendu, allait précipiter la suite de mon parcours dans les dédales de pharmacopée psychiatrique entre « Docteur Solian », « Docteur Risperdal » et « Docteur Analyste », le premier de la longue liste des psys en tout genre. Les versions de ces psychiatres, que je consultais régulièrement (trois, voire quatre à certains moments), étaient divergentes. Cela me gênait, mais je persistais à croire que chacun devait connaître son affaire. De plus, Althusser avait eu un parcours fort complexe avec les psychiatres, mais jamais n'a remis en cause leur parole. Je me « rassurais » avec cette analogie que je gardais pour moi, ajoutant grâce à mes lectures que, même chez Foucault, qui critique le pouvoir psychiatrique avec virulence, la critique est pour ainsi dire théorique.

Les contradictions allaient pourtant rapidement se manifester et rendre impossible les conciliations. Une relative baisse des doses avait d'ailleurs peut-être stimulé le vice de la rébellion.

Un jour où je revenais de chez le « psychiatre Risperdal » pour me rendre chez « le psychiatre-bourreau » autrement dénommé « Docteur Solian », ce dernier eut une petite phrase lorsque je tentai de lui expliquer ma séance qui venait de s'achever : « Il n'y comprend rien ! » suivie de quelques qualificatifs peu amènes pour son collègue. Cela me donna à réfléchir. Un samedi matin, abruti à nouveau par les doses, assis, le regard dans le vide, sur un banc au centre de Paris, juste après un rendez-vous chez mon bourreau, je décidais de ne plus retourner chez lui. Je ne sais pas comment ni pourquoi précisément ce jour-là je pris cette décision, mais, en tout cas, je tins ma promesse. Je lui écrivis une lettre le jour même et je n'y suis jamais plus retourné.

« Bon élève » ou simplement par réflexe, je continuais ma thérapie, mais elle était moins intensive, et comme je ne prenais plus, ou moins, de médicaments, je pouvais un peu mieux réfléchir. Une deuxième victime, un peu plus tard, allait être mon psychanalyste. Je lui écrivis à lui aussi une lettre. Il fit de son mieux pour me garder. Peine perdue.

Rétrospectivement, je me dis que j'ai fait approximativement cinq ans de psychanalyse suivie chez l'un des psychanalystes les plus réputés de Paris, devenu récemment président d'un institut de grande importance. Une véritable rente pour lui. Mais avec le recul, je ne peux m'empêcher parfois des divagations réalistes. Si mes pressentiments sombres se réalisent, et que je suis sur le point de devenir SDF, je pourrai toujours ouvrir mon cabinet et demander des sommes terribles. En liquide.

À la rentrée universitaire de 2007, le dernier psy que je quittai en tant que patient a été le psy Risperdal. Sur la fin de mon parcours, il était quasiment devenu un ami et je tiens à lui rendre hommage bien que je ne puisse le nommer. Il a été celui qui posa enfin le bon diagnostic, mais nous verrons cela plus tard.

Depuis la fin août 2001, il s'était donc écoulé six bonnes années. Comme le disait Robinson Crusoé une fois de retour de son île (autistique ?), je retrouvai Londres (ou plutôt Paris) après une longue, très longue absence.

Petits moments et petites histoires

Ces années ont été riches en événements. En les racontant, peut-être que je poursuis, seul désormais, en bon autiste, l'analyse freudienne, comme on dit. Avec le sourire, même si ces années s'apparentent à une « descente aux enfers » et à une errance médicale et de diagnostic effrayante.

Mon ancien psychanalyste en a fourni, sans doute involontairement, un certain nombre. Chez lui, très souvent, les séances se déroulaient dans un grand silence de sa part. Il disait bonjour, puis il s'asseyait. Il avait une manière extraordinaire de dire « Racontez ! » Après cela, il ne disait plus rien quasiment jusqu'à la fin. Peut-être qu'il était plus autiste que moi. À certaines – rares – séances, il était un peu plus bavard, me posait quelques questions. Il y a eu alors des moments assez extraordinaires. Par exemple, on avait discuté, au tout début, du téléphone, parce que la sonnerie était difficile à vivre pour moi – cela n'a qu'à peine changé. Il m'avait demandé : « Qui pourrait vous appeler ? » en sous-entendant que mon angoisse du téléphone était l'angoisse qu'une personne m'appelle. Lorsque j'avais répondu : « Personne ne m'appelle jamais. » Il a laissé sous-entendre que, soit j'entendais des sonneries qui n'existaient pas, soit je croyais être contacté par les ovnis, la CIA ou d'autres entités.

Lorsque j'évoquais mes angoisses, par exemple dans les magasins, il m'expliquait qu'en fait, j'avais des pulsions de vol ou d'agression tellement fortes que, au moment du refoulement, se créait cette anxiété. La particularité de ce mécanisme mental est d'être indémontrable et irréfutable : le fait que, par exemple, je n'aie jamais volé dans un magasin (mais là encore, peut-on en être sûr ? Je l'ai peut-être fait sans m'en rendre compte, ou alors sur le plan symbolique) ne faisait que prouver le caractère refoulé des pulsions susdites.

Au tout début, au sortir de ces séances, j'étais assez déprimé. Probablement pas de la dépression au sens propre, plutôt un état dépressif. Ensuite, cela a cédé la place à un souvenir blanc, c'est-à-dire à une absence de tout vécu remémoré du fait des médicaments.

Je me suis posé des questions sur la thérapie menée. J'ignore, à vrai dire, si on m'a réellement fait suivre une thérapie quelconque. Un jour, le psychanalyste m'avait dit, d'entrée de jeu : « Vous viendrez chez moi jusqu'à mon départ à la retraite. » En termes de sécurité de l'emploi, il n'y a pas mieux.

Une autre interrogation porte sur ma docilité, réelle ou supposée. Je crois, et les discussions que j'ai pu mener avec mon entourage montrent que quasiment tout le monde aurait abandonné psy et cachetons au bout de quelques jours dans de telles circonstances. L'autisme n'a-t-il pas, ironiquement, seul rendu possible une telle séquence ? N'ai-je pas, en avalant les comprimés sans discuter, suscité méfiance et conviction que j'étais réellement atteint ? Il me semble, au contraire, que la norme dans les maladies mentales telles que la schizophrénie est que le patient refuse, à un moment ou un autre, ses comprimés.

La prescription des médicaments donnait lieu à des moments que je comprends maintenant comme hautement comiques : le psychiatre, ne sachant pas quel dosage inscrire, consultait devant moi ses manuels et brochures.

L'un des meilleurs moments, toujours vu avec le recul, fut ce jour où ce psychiatre m'a proposé de me placer dans un institut. L'Institut des jeunes aveugles. Alors, et malgré les produits que j'avalais, j'avais eu un moment de surprise, même en étant prêt à tous les diagnostics, et je lui avais demandé pourquoi cette orientation. Il me répondit franchement : « J'ai pensé à l'Institut des jeunes aveugles parce que vous ne me regardez pas dans les yeux. » Il m'a effectivement établi une ordonnance avec le nom de la personne à contacter là-bas, ainsi que ses coordonnées. Étant donné que c'était dans les derniers temps de ma thérapie, et que le psychiatre était devenu autrement plus humain que ses deux premiers collègues, il ne m'a pas forcé. Je ne l'ai pas fait, suite aux conseils de mes amis Florence et Loïc – dont je reparlerai plus loin. En revanche, j'ai gardé l'ordonnance, et parfois, grâce à cet épisode, je passe de bons moments de rigolade avec des amis aveugles.

Un autre jour, le même psychiatre a, une fois de plus, essayé de m'aider. Il m'avait proposé un placement sous curatelle. À l'époque, je bénéficiais de l'allocation octroyée aux personnes handicapées par la Cotorep (devenue Maison départementale des personnes handicapées). Selon mon médecin, ce placement était dû au fait que... je ne dépensais pas assez. D'ordinaire, la curatelle est destinée aux personnes qui dépensent trop eu égard à leurs revenus. Tout est pathologique, la bonne gestion en premier chef.

Autre bon moment chez le psychiatre Risperdal, qui était, disons, plus avisé que les autres – même si, bien sûr, il a fait des gaffes et des fautes : il m'a demandé à plusieurs reprises mon approbation avant de me prescrire tel ou tel produit, alors que les autres ne le faisaient pas. Lors d'une de ces occasions, j'avais répondu, à la manière autistique (je n'aurais pas dû le dire) : « À Monaco, on parle d'ordonnance souveraine... » Et c'est vrai ; les actes que signe le prince de Monaco s'appellent une ordonnance souveraine. J'avais voulu dire, comme ça, qu'il décide. Et le psychiatre s'était arrêté un instant, en pensant : il doit être délirant, quand même, celui-là ! Allez, Risperdal à bonne dose…

Mes diagnostics

J'ai eu beaucoup de diagnostics et de non-diagnostics. Au cours de mon enfance, je n'ai pas eu connaissance de tout ce que les médecins généralistes, parfois spécialistes, mais jamais psychiatres, ont dit à mes parents. J'avais été traité pour anorexie, problèmes d'audition, problèmes cardiaques, refus d'alimentation. Autant de choses que l'on peut rétrospectivement associer à l'autisme, mais qui alors n'avaient guère de réponse satisfaisante malgré leur gravité apparente – mes parents étaient en effet particulièrement réticents au pouvoir médical, et il fallait, normalement, une urgence absolue pour qu'ils consultent un médecin.

Quand j'étais ado, on parla de dépression, d'état hyper-anxieux. Personne n'a prononcé le terme « autiste », mais en ces temps, des termes tels que schizoïde, personnalité psychotique, etc., étaient utilisés pour désigner ce qui aujourd'hui est nommé l'autisme.

Plus tard, pendant mes mauvaises années en psychiatrie, j'ai beaucoup fréquenté le forum schizophrénie Atoute du Dr Dupagne. Fréquenté veut dire que j'ai lu assidûment les messages, mais sans jamais rien poster. Je le regrette un peu. Plusieurs de mes « amis » virtuels d'alors, amis dans un seul sens de l'échange, se sont suicidés quasiment en direct. Je regrette aussi ce temps en tant que tel. J'avais beaucoup appris.

Je peux évoquer l'un des diagnostics les plus curieux que j'aie jamais eus. Celui de vouloir me transformer en femme. Le psychiatre qui l'avait soupçonné m'avait parlé lui-même du président Schreber. Il avait même téléphoné à un collègue pour lui faire part de ses inquiétudes.

Le « psychiatre Risperdal » a été le premier, je crois, à prononcer les mots « syndrome d'Asperger ». En France, à l'époque, rares étaient les psychiatres qui connaissaient cette terminologie. Il m'envoya chez un collègue, qui établit un diagnostic plus solide. J'ai eu l'impression qu'il s'agissait d'un bon spécialiste, impression récemment confirmée par d'autres personnes. Pourtant, je ne suis allé chez lui que trois fois, parce que, pour prendre rendez-vous avec lui, il fallait téléphoner à sa secrétaire. Chose impossible pour moi à l'époque et encore bien difficile aujourd'hui. Il ne faut pas croire que le fait que le diagnostic soit posé arrête en soi la séquence ou la spirale. Loin de là. Du moins dans mon cas.

Après mon diagnostic, comme si j'étais concerné par une maladie mentale de type schizophrénie, j'ai continué à prendre des neuroleptiques pendant environ deux ans, le temps que je comprenne que je pouvais dire « non » à tel psychiatre et oser le faire. C'est un long processus. Malheureusement, je n'avais aucun médecin qui m'aidait dans ce petit cheminement. Avoir un diagnostic permet de comprendre certains éléments, comme le fait que je n'avais pas les mêmes centres d'intérêt que tout le monde. Les autres vont au cinéma le week-end, par exemple, ou finissent en couple très rapidement. Moi non. J'ai commencé à avoir des réponses à mes questions, compris des choses de mon enfance, pourquoi je ne fonctionnais pas de la même manière en cours de récréation…

Mais finalement, chaque personne, avec autisme ou pas, est unique. Nous avons toujours nos particularités de pensée, notre caractère.

Psy (-chopathe, -chiatre, -chologue, -chotique)

Peut-être que j'ai encore de multiples maladies et que les spécialistes pourraient élaborer de nouveaux diagnostics ? En tout cas, après les psys, me revoilà Gros-Jean comme devant.

4

L'autisme, c'est quoi ?
« Bienheureux les fêlés
car ils laissent passer la lumière[1] »

Il était indispensable, malgré mes réticences, de consacrer un chapitre à la grande question : « L'autisme, c'est
quoi ? » Un chapitre prudemment placé dans le ventre
mou du livre, que le lecteur, commençant à la première
page, n'atteindra probablement pas lucide. Et de même
pour celui qui, comme moi parfois, lit les livres à l'envers,
à partir de la dernière page. Un chapitre fait de mots-clefs
sans ordre apparent − mais y a-t-il un ordre systématique
dans la prise en compte, dans les spécificités de l'autisme ?

Plusieurs réserves introductives, et qui ne sont pas que
d'usage, doivent être faites. Comme je le répéterai plus
loin, mais le lecteur l'a déjà deviné, je suis un charlatan
en matière d'autisme. N'étant pas spécialiste et ne pouvant
donc faire de doctes discours sur le sujet, une solution de
repli aurait pu être de parler de moi, une fois de plus,
en espérant que d'autres retrouvent tel ou tel trait en
commun avec la situation vécue de leur côté. À ceci près
que rien n'indique que j'incarne l'autisme d'une manière

_____
1. Michel Audiard.

spécifique. Quand des parents, à la fin d'une conférence, viennent gentiment me voir et me disent que leur enfant a des points communs avec moi, je me dis mentalement « pauvre petit ». Heureusement que chacun est, en fin de compte, assez différent.

Ami lecteur, gardez ce fait à l'esprit. À plus d'un moment, quand on parle de l'autisme, on se sent nécessairement concerné. N'en soyez donc point effrayé. Si vous vous reconnaissez dans une ou deux histoires, soyez-en aise, ne dépensez pas votre argent en courant chez votre pédiatre, seul à même de s'attaquer aux psychoses infantiles. Encore moins chez le vétérinaire.

La prison intérieure

L'une des définitions les plus anciennes et les plus récurrentes de l'autisme tient à l'analogie avec une prison intérieure. Ou forteresse vide, pour les amateurs d'histoire de la psychiatrie. Des variantes existent, par exemple avec la question, diagnostic ultime, posée par ce psychiatre à l'un de mes amis : « Quand vous marchez dans la rue, est-ce que vous vous sentez sur une île déserte ? » Réponse : « Non. » Conclusion : « Donc vous n'êtes pas autiste, au revoir. » Encore faut-il ne pas confondre l'autisme avec un fantasme de lieu de villégiature – obtenu d'ailleurs peut-être grâce à l'argent dudit autiste.

Plus sérieusement, je me demande quelle est la prison intérieure des gens en général. Je connais des personnes qui passent pour parfaitement normales, qui vont travailler le matin, restent au bureau le soir jusqu'à je ne sais quelle heure, puis prennent le métro, rentrent chez elles, regardent la télé pendant une heure, se font à manger, se couchent, avant de recommencer le lendemain. Quand on entame une conversation avec elles, il y a peut-être deux ou trois sujets à aborder, et en dix secondes on est déjà parvenu au bout de leurs convictions. Par exemple, elles soutiennent tel ou tel club de foot, votent pour tel ou tel parti. Quand on essaie de leur demander pourquoi, elles répondent : mais tu vois bien que l'autre, c'est un imbécile ! Lui, il va gagner, c'est évident, vous avez vu comme l'autre est nul ! Ces gens-là sont considérés comme normaux et libres. Si on prend la peine de regarder honnêtement les personnes avec autisme, je crois qu'elles manifestent pour beaucoup, sur un bon nombre de points, une plus grande souplesse que ces autres personnes.

Bien entendu, j'ai un certain monde intérieur que je ne partage pas. Et surtout pas avec quelqu'un qui me fait violence, par exemple un psychiatre qui me demande toutes les quinze secondes : « À quoi pensez-vous ? » Je crois que ceci est heureux. Chaque être humain a son univers, son monde intérieur, et s'il ne l'avait pas ce serait extrêmement triste. Il est toutes sortes de tentatives dans notre monde moderne de mettre fin à ce jardin intérieur, une pression publicitaire, médicale, économique de supprimer cette parcelle non productive, cette perte de temps, cette anomalie. Je trouve assez désastreux ses effets ultimes.

En arrivant ici, à Samarkand, pour la première fois, on est souvent frappé, comme en d'autres lieux loin de l'Occident, par la présence inactive de beaucoup de gens, personnes âgées ou autres, qui méditent, assis pendant de longues heures dans les recoins des rues ou les cafés. Faut-il les interner ? Celui qui avait dit, lors d'un colloque à Rabat, que jadis le but de la vie était de transmettre les poèmes hérités de nos prédécesseurs, faut-il l'embastiller dans la forteresse ?

Un livre de la Renaissance s'intitule *Le Labyrinthe du monde et le Paradis du cœur.* Le titre reflète bien le contenu de l'ouvrage. Au-delà de la beauté de la formule, c'est l'histoire d'un jeune à la fois naïf et avide de découvrir le monde. On le fait voyager partout. À la fin, l'aboutissement n'est pas un retour dans la gloire, à la Marco Polo. Le voyage, dans son issue ultime, plonge dans l'intériorité. Le roman d'apprentissage au sens que donnait le XIXe siècle au terme est bien loin.

Et pourtant. L'auteur, Comenius, était bien plus révolutionnaire qu'un Balzac ou même un Zola. Grand humaniste de la Renaissance, Comenius a passé sa vie à voyager en Europe. Il a aussi été l'inventeur d'une méthode pédagogique nouvelle : tandis qu'à l'époque on frappait les enfants pour leur faire apprendre le latin, il a démontré que les enfants apprennent plus facilement par le jeu. Pire encore, il a prôné la même éducation pour les filles. Le latin pour les filles, quelle idée ! Je ne peux donc considérer que le fait d'avoir une vie intérieure soit un problème ou un souci. Le souci est plutôt, hélas, la vie extérieure.

La règle, c'est la règle : légalisme, imprévus, routines

On dit souvent que les personnes avec autisme ont une grande rigidité, qu'elles expriment par la formule : « La règle, c'est la règle. » Soit dit en passant, le sens de cette expression requiert une explication pour comprendre que l'on sous-entend par là que la personne qui l'énonce tient à une application stricte des règles. Faute de quoi, elle peut n'être perçue que comme une tautologie, du type « un célibataire est un célibataire ». Lorsque de Gaulle s'écriait « l'ennemi est bien l'ennemi », il a certes mobilisé ses troupes, mais il n'a probablement pas été suffisamment clair quant à ses présupposés sociaux pour un éventuel auditeur avec autisme.

Pour en revenir au fond, je crois que la rigidité des personnes avec autisme, si elle peut être effectivement constatée dans nombre de situations, n'est pas absolue. Des études montrent que, dans certains domaines, les personnes avec autisme ont tendance à être beaucoup moins rigides que les autres. L'un des cas que l'on peut citer, qui me concerne personnellement, est l'appartenance nationale. J'ai toujours beaucoup de mal à comprendre ce que peut représenter le fait d'être allemand ou belge. Cela me paraît bien trop abstrait. Être indonésien peut être plus difficile à imaginer du fait de la différence radicale de culture et d'apparence physique, mais, par exemple, si on me le demandait et me permettait de l'être sans difficultés, devenir ou me faire passer pour estonien sur-le-champ ne me gênerait guère. Il est manifeste que, dans ce cas particulier, l'histoire personnelle joue en plus de l'autisme ; toutefois, eu égard à la complexité de l'être humain, il est quasiment impossible d'isoler l'influence « pure » du facteur autisme. Dans mes moments de déprime, je me sens apatride ; dans mes moments de manie, citoyen du monde. Le pire, ou le mieux, est que je ne sais pas comment il faut prononcer « correctement » mon nom de famille et mon prénom : cela dépend de mon interlocuteur. Quand j'ai affaire à une personne qui parle une autre langue que le français, mon nom et mon prénom sont prononcés autrement. Je n'essaie pas de lui demander d'appliquer la prononciation française. Alors même que j'ai remarqué, à ma vive surprise d'ailleurs, que beaucoup de gens étaient très susceptibles quant à la prononciation de leur prénom. Que vous m'appeliez Josef, Djozef, Yossef, ou encore Youssouf, tant que je reconnais que c'est moi, il n'y a pas de problème. Tout comme on pourrait également convenir de m'appeler Stéphanie.

Autre particularité sur laquelle les personnes avec autisme sont souvent plus souples : ce qui relève des clichés ou de la construction sociale de genre. Ce peut être, pour les hommes, aimer le foot et les bagnoles, et boire de la bière. Là encore, il peut être compliqué de discerner ce qui relève d'un autisme théoriquement pur et parfait, et ce qui est issu de la marginalité de beaucoup de personnes autistes, le marginal respectant moins les codes sociaux.

Toutefois, il demeure vrai que les personnes avec autisme ont souvent des difficultés à s'adapter, à inventer des solutions de comportement dans des situations imprévues. Vous êtes à la boulangerie, vous voulez acheter une baguette, il n'y en a plus, vous devez chercher immédiatement une alternative, avoir une réaction : cela est très compliqué. Quand j'étais en sixième, ma prof de français a un jour dépassé l'heure de fin de cours de quelques minutes. J'ai fondu en larmes. Elle est venue me voir, a tenté de me consoler, et m'a demandé pourquoi je pleurais. Quand je lui ai expliqué la cause de mon trouble, elle n'a pas dit un mot et elle est partie, sa tendresse maternelle envolée. Rétrospectivement, je pense qu'elle devait être fâchée.

Typiquement, les enfants avec autisme peuvent dénoncer leurs camarades qui bavardent pendant les cours ou qui trichent pendant les contrôles. Ce n'est pas parce qu'ils ne les aiment pas ou qu'ils veulent être méchants avec eux. Il s'agit d'une simple application de la règle. La meilleure preuve en est que la même chose vaut pour la maîtresse ou les profs : lorsque le prof fait une erreur, il a droit à une correction aussi sévère que celle qui vaut pour les camarades de classe. Maintes anecdotes savoureuses pourraient être contées sur ce sujet. Simplement une, pour la route : alors que j'étais en classe de CM2, un inspecteur était venu dans notre classe. Les inspecteurs sont particulièrement craints de la part du corps enseignant, et notre prof nous avait donné des instructions très précises : nous devions être particulièrement sages et attentifs ce jour-là. Avant de repartir, l'inspecteur nous avait fait un petit discours, j'ai pris la parole et lui ai dit : « Monsieur, vous êtes dans l'erreur, vous n'êtes pas au courant des théories éducatives qui sont exposées... », et je n'ai pas pu continuer parce qu'il m'avait coupé la parole avec une violence invraisemblable. Un enfant n'est pas censé corriger le prof, alors un inspecteur... !

Dans la gestion des imprévus, il ne saurait y avoir de solution pour tout, tant les situations imprévisibles sont nombreuses. Si un apprentissage est possible, il n'est jamais complet, il est toujours à poursuivre. On peut prévoir des « plans B », comme on dit. Si par exemple l'hôtel où j'ai réservé une chambre me dit que je ne peux pas y aller pour diverses raisons, je serai plus à l'aise si j'ai une autre solution déjà préparée. Le tout est de ne pas imaginer de scénarios alternatifs multiples pour les situations banales, faute de quoi on se perd en conjonctures, et on finit par vivre sur le mode du soupçon. Il y a un dosage à faire. Pour donner un exemple : il y a quelques années, j'avais volé par mégarde le rouge à lèvres de l'administratrice d'un organisme public, tout simplement parce qu'en arrivant avant le début de la réunion, à la place qui m'était dévolue, il y avait divers objets posés sur ma table, des petits cadeaux, des stylos et un rouge à lèvres. J'ai pensé qu'il faisait partie des cadeaux m'étant destinés. Je l'ai pris et mis dans mon sac. Quelques instants plus tard, à l'arrivée de l'administratrice, j'ai dû trouver une solution à une situation particulièrement embarrassante pour elle et encore plus pour moi.

Autre exemple : les compliments. Vous devez à la fois réagir positivement, montrer à l'autre que vous n'êtes pas indifférent(e) à ses propos, tout en faisant preuve de modestie. Sans oublier de valoriser l'autre, parce que, en société, quand on fait un compliment à quelqu'un, en général on attend un retour. De même pour les cadeaux. On m'avait appris des phrases toutes faites comme : « Merci, tout cela est grâce à vous, et ensemble nous ferons encore mieux la fois prochaine. » La difficulté est qu'il faut dire ces phrases sur un ton convaincant, ne pas utiliser deux fois la même avec la même personne, et ainsi de suite. À ce titre, je trouve délicieuse l'histoire que m'a racontée le papa d'une jeune fille avec autisme. Comme tout bon parent, il essaie de la pousser vers d'autres découvertes et d'améliorer ses compétences sociales, et pour cela lui fait des compliments : « Très bien ! Super ! Tu as bien réussi ! Tu es quelqu'un de brillant ! » Un jour, sa fille lui réplique : « Papa, tu l'as déjà dit hier ! » En soi, rien de plus compréhensible. Si on dit à son partenaire « je t'aime », pourquoi le répéter demain ou dans un an, puisque c'est valable tant qu'on n'a pas dit le contraire ? Il faut savoir que parfois les compliments sont trompeurs, servent à induire l'autre en erreur ou à le manipuler. Ainsi, dans les magazines féminins – pour lesquels j'ai vaguement travaillé à une époque –, on explique comment faire en sorte que votre mari fasse le ménage ; l'une des méthodes souvent proposées est de faire usage de flatteries. La flatterie, dans ce cas-là, est intéressée, voire mensongère. Dans les faits, il en est souvent ainsi dans le travail : des patrons manifestent de façon ostentatoire leur amitié pour un collaborateur, et juste après cela, lui donnent du travail, qu'il s'empresse de faire, fier de la haute estime dans laquelle il est tenu.

Un autre volet de ce que l'on nomme rigidité des personnes autistes tient à la routine que souvent elles aiment suivre, qui est rassurante, évite d'avoir à se poser des questions. Au moment de vous habiller, si vous choisissez toujours la première chemise, votre lever sera facilité. Et si vous savez qu'après le choix de la chemise vous avez telle autre chose à faire, vous avez un algorithme rassurant. Toujours dans les magazines féminins, des modes d'emploi vous indiquent comment raviver la flamme dans votre couple, comment le ou la surprendre. Pourquoi donc vouloir surprendre la personne aimée, lui causer stress et désagrément ? Pour des personnes avec autisme, ce qui est souvent bien plus plaisant est la régularité, la routine, la prévisibilité.

Les contacts avec l'altérité

Il peut être à première vue contre-intuitif de dire que le contact avec l'altérité peut être plus simple que le contact au sein du groupe social familier. Pourtant, ce n'est pas toujours le cas. Ainsi, le voyage peut assurément être une source de stress. Toutefois, ce dernier peut être relativisé par le fait que si, en France, je fais une gaffe et passe alors pour quelqu'un de bizarre ou d'autiste, dans un lointain pays on ne prendra pas cette gaffe aussi mal, et on l'attribuera à mon origine étrangère. Par exemple, récemment, en allant faire quelques courses alimentaires dans un magasin vendant notamment des plats ouïgours, je n'ai pas eu la bonne salutation face au patron. Ce dernier, loin de se départir de son calme, a fait venir son fils, qui parle anglais – à mon regret d'ailleurs, car je voulais éviter de parler anglais. Être étrange quand on est étranger, rien de plus naturel, en somme. Pour prendre un autre exemple : souvent, dans la cour de récréation, les enfants avec autisme arrivent à établir un contact seulement avec des enfants radicalement différents d'eux : les garçons avec les filles ou les filles avec les garçons, ce qui, au primaire, normalement, n'est pas la norme. Concrètement, si vous êtes un garçon avec autisme, que vous allez dans un groupe de filles et que vous faites une petite gaffe, cela posera moins de problèmes parce que les filles diront : « C'est normal, ce n'est qu'un garçon ! Il faut lui expliquer. » Mieux : si elles discutent maquillage par exemple, et que vous n'y comprenez strictement rien, si vous êtes là, si vous écoutez, elles seront souvent heureuses de montrer ce qu'elles savent. Et si vous avez le courage d'aller faire du shopping avec elles et de les écouter parler de vêtements, vous vous ferez des copines pour la vie.

Quant à moi, j'établis parfois des liens avec les petits vieux. « Petits vieux », une expression affectueuse, bien sûr. Même avec des personnes qui ont Alzheimer. Souvent, ce sont des gens exclus, qui ne pensaient pas pouvoir bavarder avec un jeune. Pourtant, ils ont une expérience de vie, des choses à raconter. Peut-être qu'il s'agit d'un cliché, mais je crois que, souvent, les personnes âgées ont un langage qui cadre bien avec celui que j'avais quand j'étais gamin ou ado.

Jeux de regard, jeux d'émotions

L'une des choses les plus difficiles pour les personnes avec autisme, ce sont sans doute les jeux de regards. Dans chaque langue, il y a des milliers d'expressions qui tournent autour du regard : que veut dire « avoir un regard glacial », « fusiller quelqu'un du regard » ? Ne vous moquez pas des autistes qui ne les comprennent pas : sauriez-vous les expliciter ? En quoi des yeux sont-ils « revolver » ? La réponse est souvent : cela se sent, cela se voit, c'est évident. Alors qu'il n'y a absolument rien d'évident là-dessous. Il est aisé d'imaginer toutes les méprises sociales qui peuvent avoir lieu sur ces points.

Les personnes avec autisme ont souvent beaucoup de mal à regarder les autres personnes dans les yeux, et donc le regard peut être posé sur des endroits inhabituels. Cela peut passer pour de la malhonnêteté ou de la duplicité, alors que ce n'est pas le cas. Des personnes avec autisme peuvent facilement vous parler en vous tournant le dos, ce qui est perçu socialement comme une offense majeure, alors que, là encore, telle n'était pas leur intention. La règle exigeant de regarder son interlocuteur n'est pourtant pas absolue : il ne faut ainsi pas le regarder de manière ininterrompue.

Que faire face à tant de complications ? Pour ma part, j'ai bouquiné des ouvrages sur le management où des choses analogues sont expliquées. L'une des astuces consiste à regarder un point situé entre les deux yeux de l'autre personne pendant une vingtaine de secondes, puis baisser le regard, puis regarder à nouveau dans la direction première. *A priori*, cela peut marcher, mais vous ne devez pas suivre votre montre en plein entretien d'embauche pour savoir si les vingt secondes sont écoulées. La vie peut être fort complexe, et avoir bien des traits de la comédie sociale.

En plus du regard, il convient de savoir lire les émotions sur le visage de l'autre. Il serait abusif de dire que cette aptitude est absente chez les personnes autistes : elle est plus apprise que spontanée, donc les erreurs de lecture sont plus fréquentes. Concrètement, quand vous voyez quelqu'un en train de pleurer, quelle attitude adopter ? Quand quelqu'un vous parle avec une certaine expression du visage, il est peut-être en train de faire de l'ironie. De vous approuver ou désapprouver. Sans une bonne compréhension de ces indices, le risque d'échec social est grand.

Toutefois, de fait, les émotions réelles de la personne ne correspondent pas toujours à son visage. Les gens sont très adroits pour afficher une certaine émotion qui n'est pas réelle. De plus, ce codage des émotions est en grande partie culturellement déterminé. On ne sourit pas à la même fréquence et pour les mêmes raisons au Japon, en Europe ou au Moyen-Orient. Toutes ces situations demandent un sacré apprentissage. Cela étant, les personnes avec autisme peuvent avoir au moins un avantage : habituées à apprendre les expressions du visage, il peut ne pas leur être plus compliqué d'apprendre celles d'autres cultures, là où ceux qui comptent sur leur lecture « intuitive » auront plus de mal à s'en déshabituer.

Bises et salutations

À quelle distance convient-il d'être pour saluer son interlocuteur ? Elle dépend, de fait, de paramètres culturels. Au Japon, ou aux États-Unis, elle est différente de celle qui est en vigueur en Europe. De nombreux apprentissages seront, là encore, nécessaires. Un enfant avec autisme qui se colle littéralement à son interlocuteur passera pour malpoli ou adorable, au choix ; si un adulte le fait, cela passera pour une agression. La distance, par ailleurs, dépend des circonstances : si vous voulez manifester votre affection à quelqu'un, il faut être proche ; en situation de relation professionnelle, il faut être plus éloigné. Un vrai casse-tête pour les personnes avec autisme.

Jusqu'à très récemment, un autre élément culturel me posait problème : faire la bise. Voilà quand même quelque chose d'assez curieux quand on y songe. Et qui fait rire certains étrangers. Par exemple, en France, les femmes se font la bise, les hommes et les femmes se font la bise, mais les hommes entre eux ne se font pas la bise. Dans beaucoup de pays du Moyen-Orient, les femmes se font la bise, les hommes se font la bise, mais hommes et femmes ne se font au grand jamais la bise. Il faut toujours réfléchir, quand on rencontre quelqu'un, à la façon de faire, ce qui relève d'un fonctionnement interne lourd ; d'un autre côté, cela évite de faire des gaffes ! Je gage que, par exemple, un Européen qui se retrouve dans une culture différente fera la bise de manière abusive – on a ainsi vu des cas amusants dans l'actualité, avec la reine d'Angleterre et certains hommes politiques français...

Pour moi, saluer un interlocuteur relève donc véritablement de l'opération commando. De fait, les détails ne sont pas explicites, car chacun est censé les comprendre spontanément. Ainsi, le mécanisme précis de la bise dépend du pays ou de la région : trois fois, quatre fois, deux fois. Et est-ce qu'il convient de faire le petit bruit accompagnant, ou pas ?

Quand on y songe, le geste de serrer la main est également plus complexe qu'on ne le croit : il y a une certaine pression à faire, un certain mouvement des doigts. À quel niveau serrez-vous la main ? Est-ce que vous serrez le bout des doigts, le milieu de la main ou ailleurs ? Quand vous serrez la main, jusqu'à quel point est-ce que vous étendez votre bras ? Si vous tendez trop le bras, la personne aura tendance à croire que vous la rejetez, ou que vous prenez certaines distances. Si vous n'étendez pas assez votre bras, on croira que vous êtes radin, ou que vous êtes orgueilleux. Sans même évoquer les légendaires poignées de main spéciales, propres à certaines confréries. De quoi être plus que perdu. Qui peut imaginer que l'incapacité à faire la bise ou le souvenir traumatisant d'échecs antérieurs est ce qui pousse un jeune avec autisme à fuir les contacts sociaux ?

Naïveté

La naïveté est souvent un autre attribut des personnes avec autisme. Il convient d'en distinguer deux sortes : la naïveté réelle, à savoir, pour le dire simplement, croire tout ce que l'on raconte, et la naïveté apparente, à savoir le fait que les autres croient que l'on est fort naïf et crédule – l'occasion rêvée pour les prédateurs de manipuler à leur guise.

Durant mon enfance, la naïveté était l'un de mes points marquants. Mes parents m'appelaient parfois le « beignet ». Je croyais à tout ce que les gens racontaient, même les choses les plus aberrantes. Sur ce plan, aujourd'hui, je crois être au contraire devenu plus cynique et pessimiste. Quand quelqu'un me parle, j'envisage souvent les deux hypothèses : cela peut être vrai ou pas vrai. Je fais toujours en sorte d'éviter d'être pris au dépourvu, ou d'être manipulé. Avec un peu d'expérience, je crois qu'on peut démasquer les gens qui essayent de vous manipuler. Le tout est de ne pas trop céder à la paranoïa.

D'aucuns ont essayé de me départir de ma naïveté apparente. M'ont montré qu'elle tenait à l'intonation de ma voix. Que ma manière de rire était désastreuse pour ma crédibilité. J'essaie donc de surveiller ce que je dis et fais ; malheureusement ou heureusement, pas toujours avec succès. Après tout, une certaine candeur est indispensable à la vie.

Mais dans les faits, les choses sont plus complexes pour deux raisons. D'une part, il ne suffit pas de « démasquer » un prédateur pour être protégé de lui. D'autre part, il ne suffit pas d'appliquer les codes sociaux pour avoir un comportement correct. J'essaie de développer chacun des points. Lorsque les personnes avec autisme finissent par se rendre compte que telle ou telle personne est à fuir, elles continuent parfois quand même, par gentillesse ou par respect des conventions, à la fréquenter. J'ai eu de tels passages dans ma vie, me suis fait avoir à de multiples reprises. Il arrive que je sois invité à faire des présentations sur l'autisme avec cinq ou dix autres personnes, et que je me rende compte, bien plus tard, au hasard d'une discussion, que tout le monde a reçu le remboursement de ses frais de déplacement, voire a été indemnisé, sauf moi, qui suis au demeurant généralement plus pauvre que les autres. Quand je m'aperçois d'une injustice – et souvent je finis par m'en apercevoir parce que, malgré mes côtés naïfs, je suis quand même un peu observateur –, j'ai tendance à laisser passer. Au pire, j'écris un email de vagues protestations, auquel je ne reçois souvent pas de réponse.

Sur le deuxième point, je crois qu'il n'est pas suffisant d'apprendre aux jeunes autistes à appliquer les codes sociaux, en leur disant que suivre le règlement leur permettra d'être socialement fonctionnels. Il faut que la personne se rende compte s'il est bien ou non de le faire. En théorie, il est possible de dire à quelqu'un : « Oh ! Tu es beau. Tu es belle. Ta maison est très jolie. Etc. » Aligner les flatteries, cela peut s'apprendre. Mais est-il correct de le faire quand c'est faux ? Faut-il aller dans la surenchère, politesse oblige ? Il n'y a hélas pas de stratégie absolue.

Pour ma part, j'essaie d'éviter de dire des méchancetés, mais sans pour autant mentir. Un jeu d'équilibriste. Et parfois, je suis coincé entre plusieurs impératifs contradictoires.

Il y a des règles de priorité dans la vie, que ce soit dans la circulation, sur les trottoirs, et ainsi de suite. L'une de ces règles est qu'il faut laisser passer les personnes âgées. Il faut le faire, mais il ne faut pas le dire. Vous ne devez pas dire à une vieille dame qui avance : « Allez ! Je vous laisse passer. Vous êtes très vieille, je le vois à votre visage ridé. » Ce serait perçu comme blessant. Pourtant, la dame doit bien se rendre compte qu'on la laisse passer parce qu'on voit qu'elle est vieille. Mais elle ne veut pas l'entendre.

Angoisse, anxiété

Je suis un grand anxieux. Il y a un indice qui ne trompe pas : il suffit de regarder l'état de mes doigts pour avoir une petite idée de mon niveau d'angoisse. Depuis ma plus tendre enfance, j'ai l'habitude de me ronger les ongles. Mais l'expression n'est pas adaptée parce que, pour moi, c'est pire que ça. Mes parents ont essayé toutes les astuces possibles et imaginables. Sans succès.

Quand je rencontre quelqu'un du corps médical ou ayant quelques connaissances dans ce domaine, la première chose qu'on me dit est souvent que je suis anormalement anxieux. Il s'agit là d'une quasi-constante chez les personnes avec autisme, du moins les enfants et les jeunes. Avec le temps, j'ai pour ma part seulement réussi à moins le manifester et à présenter une apparence un peu plus calme. Il peut y avoir une certaine dualité entre une angoisse intérieure qui est très forte et une apparence qui peut être plus ou moins calme. Je pense être moins enclin que d'autres aux emportements liés à l'humeur ; j'ai peut-être un tempérament plus stable que certains.

Mon niveau d'anxiété est lui aussi assez stable, mais à un niveau élevé.

Cela peut présenter quelques avantages. Ainsi, je crois être plus en mesure que beaucoup de gens de faire face à des situations anxiogènes. Passer un oral, celui du bac par exemple, est un événement stressant, mais pour moi il ne l'est pas plus que d'autres moments de la vie quotidienne. Étant habitué à avoir un fort niveau de stress, l'impact de ce stress additionnel peut être, je crois, plus aisément géré. Un autre avantage de l'anxiété pourrait être, à vérifier médicalement, sur le plan alimentaire : économies de Slim Fast… ! Je crois que je pourrais manger matin, midi et soir dans des chaînes de restauration rapide sans devenir particulièrement gros. Peut-être que je me trompe sur le plan scientifique, mais j'ai ce type d'impression.

J'ai, encore maintenant, des accès de forte angoisse ; les autres peuvent voir que je suis extrêmement stressé quand, sur un quai de gare, je fais les cent pas… Je le fais très régulièrement. Mais j'ai réussi à mettre en place des stratégies qui permettent soit de gommer, soit de gérer, soit d'esquiver des niveaux d'anxiété trop importants.

Si je sais que telle ou telle situation est à éviter, que ce soit un magasin bruyant ou une rue pleine de policiers, je sais ce qu'il convient de faire quand le niveau de stress atteint un certain seuil. Il s'agit d'un bricolage personnel, et pourtant efficace dans beaucoup de cas.

Problèmes sensoriels

Les personnes avec autisme sont souvent confrontées à des hypersensibilités à la lumière ou au bruit. Combien de salles de classe ont un éclairage acceptable pour un enfant avec autisme ? Les néons peuvent être un problème :

quand on a une certaine sensibilité à la lumière, on voit le néon clignoter, ce qui peut être très pénible au bout d'un certain temps. Le soleil, quand viennent ceux que l'on appelle les beaux jours, peut représenter un défi pour les enfants et les adultes avec autisme. Quand un carreau lumineux se dessine sur votre table, comment est-ce que vous pouvez réfléchir, travailler, écouter la prof ? Vous essayez une ou deux minutes, mais rapidement vous perdez pied.

Dans une salle de classe, il y a tout le temps des petits bruits : les enfants gigotent ou bavardent. Quand vous êtes au premier rang, cela peut être surmonté, mais quand on vous place au fond, vous êtes complètement submergé par ces bruits. Il est alors quasiment impossible de se concentrer de manière continue. Certains bruits, perçus de manière beaucoup trop forte, peuvent susciter une angoisse très importante, au point de paralyser le fonctionnement intérieur. Pour moi, ce stade est régulièrement atteint lorsque passent à proximité certains véhicules très bruyants, tels que les gros camions. Dans le même ordre d'idée figurent les sonneries à l'école, notamment celles, à l'ancienne, dont le bruit est particulièrement violent. Des moments traumatisants. Quand je lis que les enfants attendent la sonnerie de la récré, pour moi c'est un peu compliqué à comprendre. Là aussi on pourrait imaginer des solutions très simples : installer un autre système d'alarme, avertir l'enfant de l'imminence de la sonnerie pour qu'il mette des boules Quies.

Ce qui m'épuise, ce sont les bruits prolongés, comme le bruit de fond du papotage. J'ai beaucoup de mal, dans la durée, à faire face. Cela suscite une sorte d'obscurcissement neuronal qui rend très compliqué le fait de réfléchir ou d'être fonctionnel.

Quand j'étais enfant, je crois que j'étais plus sensible que d'autres au niveau tactile, au niveau du goût, au niveau des textures. Je ne pouvais pas porter beaucoup de vêtements ; même actuellement j'ai un certain type de tenues, une garde-robe fixe ou semi-fixe, avec des vêtements que je porte depuis de longues années et auxquels je suis habitué.

Les règles non écrites et les difficultés

Dans notre vie en société, nous sommes entourés de règles non écrites que nous observons sans même nous en rendre compte. Mais pour les personnes avec autisme, l'apprentissage est beaucoup plus difficile. S'il n'y a pas une tierce personne pour vous guider, il y aura de nombreuses erreurs, de nombreuses gaffes qui seront faites. Et cela peut pourrir pendant des années, voire des décennies, la vie d'une personne avec autisme.

L'exemple le plus classique est peut-être la fameuse blague du contrôleur dans le train qui arrive et qui vous demande : « Est-ce que je peux voir votre billet ? » Et vous, vous répondez : « Non, vous ne pouvez pas le voir, il est dans ma poche. » Un exemple typique de non-compréhension sociale par la personne avec autisme, le plus souvent de la part des enfants dans ce cas précis. En effet, les adultes ont souvent appris à éviter un certain nombre d'erreurs élémentaires. Mais ils font d'autres gaffes du fait de la nature variable, fluctuante, inédite, imprévue des circonstances dans lesquelles nous nous mouvons.

L'apprentissage des codes sociaux

Je crois que l'apprentissage des règles sociales peut s'effectuer comme celui d'une langue étrangère. Au début vous avez beaucoup de mal, l'apprentissage est complètement artificiel. Petit à petit, vous gagnez en aisance. À partir d'un certain point et avec un peu de chance, vous pourrez dans certaines situations vous débrouiller. Mais vous ferez nécessairement des fautes, à un moment ou à un autre, j'allais dire de grammaire, c'est-à-dire de mauvaise application de telle ou telle règle, ou alors de mauvaise compréhension de ce que fait l'autre personne qui, elle, est beaucoup plus à l'aise. Par exemple vous pouvez être confronté à un clin d'œil imprévu. Qu'est-ce que cela veut dire, comment l'interpréter ? Ce sont des questions difficiles sur lesquelles les personnes avec autisme, même très intelligentes et qui ont déjà beaucoup appris, peuvent se trouver en difficulté. Vous pouvez avoir un prix Nobel et ne pas savoir dire bonjour de manière socialement adaptée. Ce sont deux facultés complètement distinctes.

On peut comparer une personne avec autisme qui a appris des codes sociaux à un intermittent du spectacle ou à un comédien. Parce que respecter, appliquer en permanence toutes ces règles a un côté en partie artificiel. L'image est intéressante parce qu'elle montre également à quel point la personne avec autisme peut s'épuiser à respecter ces codes. Parfois, lorsque je dois prendre le train, on me propose que quelqu'un vienne avec moi. Sous-entendu : pour que le voyage soit plus agréable. Mais les gens se rendent rarement compte que, pour moi, il s'agit d'une obligation supplémentaire : pendant la durée du voyage, je serai tenu d'être «en représentation», ce qui est une source de stress ou de fatigue en plus.

114

Le mensonge et la norme sociale

L'incapacité, ou la très grande difficulté, des personnes avec autisme à mentir est quelque chose de bien connu et de frappant. Certains finissent par apprendre à mentir un petit peu, et parfois les psychiatres célèbrent cela comme un bel événement. D'autres sont plus en retard, comme moi par exemple. Dans la vie quotidienne, nous sommes obligés, même si on ne se l'avoue pas, d'user de petits mensonges, comme par exemple « je reviens dans deux minutes », alors que je sais pertinemment que je reviens plus tard ou que je ne reviens pas du tout. Pour une personne avec autisme, il s'agit bien d'un mensonge, même si socialement ce n'est pas vécu de la sorte. Ou alors flatter quelqu'un : vous lui dites par exemple que telle ou telle tenue est ravissante, alors qu'elle est laide à vos yeux. Certains mensonges sont socialement exigés. Si on ne s'y plie pas, on se retrouve dans des postures pénibles.

En ce qui me concerne, j'essaie de naviguer ; avec un peu de réflexion, je pense que l'on peut, dans beaucoup de situations, passer outre le mensonge tout en évitant la situation difficile. Par exemple, il est toujours possible d'éviter de parler de sujets qui sont désagréables pour l'autre personne. Si on me demande de vanter telle ou telle tenue que je trouve laide, et dont je ne peux pas dire qu'elle est jolie parce que ce serait mentir, j'essaie de trouver un autre compliment, une autre flatterie qui, elle, est exacte. Généralement, cela passe. Parfois, une réflexion est nécessaire.

Si vous passez un entretien d'embauche, il faut vous présenter comme la personne idéale pour le travail en question, embellir votre CV en mentant un petit peu, mais pas trop non plus pour que ce ne soit pas trop flagrant. Vous devez aussi parler de vos aptitudes exceptionnelles. Vous devez évoquer vos loisirs, mais pas vos loisirs effectifs, plutôt des loisirs qui pourraient intéresser le recruteur, c'est-à-dire plus ou moins en lien avec votre travail. En somme, il faut savoir se vendre. Se vendre sur le plan littéral pour les entretiens d'embauche, mais cela vaut dans quasiment toutes les interactions sociales, même entre amis. Dans beaucoup d'entreprises, autour de la machine à café, notamment le lundi, tout un genre narratif se déploie : la description du week-end. Il faut le retracer, l'embellir. Quand bien même on se serait engueulé avec son conjoint, on dit plutôt des choses plus flatteuses. On dit que l'on a « fait » (comprenez ce sens du verbe faire…) telle ou telle expo, pour paraître cultivé ou raffiné, alors qu'on n'y est même pas allé ou qu'on n'y est resté que quelques minutes en regardant tout sauf les œuvres exposées. La société exige ces choses ; si vous ne le faites pas, malheur à vous !

Quand on me demande ce que j'ai fait ce week-end, je suis obligé de répondre des choses qui ne sont pas socialement valorisantes, ou ne passent pas pour intéressantes. Donc, soit j'évite la machine à café, quitte à m'exposer à divers ragots, soit j'essaie de naviguer entre l'écueil du mensonge et la vérité entière et nue que je ne peux pas non plus dire. Le soir, quand on rentre, on se dit : « Pourquoi tout cela ? » Les gens ne sont pas idiots, ils doivent bien se rendre compte que tout le monde triche, d'une manière ou d'une autre.

Je me suis posé la question lors des rencontres de séduction ; si vous vous présentez sous un jour particulièrement favorable, l'autre personne, à moins d'être complètement stupide, doit bien se rendre compte que les belles paroles ne correspondent pas à la réalité. Cela n'en demeure pas moins la norme sociale.

Hiérarchies

L'exemple type d'une réplique inadaptée lors d'un entretien d'embauche est de s'exclamer face au futur patron (lequel, en l'occurrence, ne le deviendra sans doute pas) : « Qu'est-ce que ça pue, ici ! » En effet, l'un des multiples sous-entendus des hiérarchies sociales est que le patron ne peut avoir certains défauts.

Dit de manière à peine exagérée, quelqu'un qui est haut placé dans la hiérarchie a toujours raison. Ainsi, il ne faut pas corriger les fautes d'orthographe du patron alors qu'on le fait facilement à un stagiaire. Il ne faut pas corriger le patron, même lorsqu'il raconte n'importe quoi, que les dégâts de l'âge ou de la boisson se font sentir.

Mais les questions de hiérarchie sociale peuvent également jouer en faveur des personnes autistes, une fois qu'elles ont acquis un certain statut. Alors, on n'ose plus les blâmer pour leurs bizarreries. On m'a raconté qu'un grand banquier français était très maniaque, et se lavait en permanence les mains. Il avait aménagé pour cela dans son bureau un petit lavabo, et quand il était en entretien, il se lavait régulièrement les mains. N'importe qui d'autre passerait pour cinglé. Pas le patron. Cela donne à réfléchir sur la bizarrerie, et le fait que les gens critiquent, blâment ou excluent les gens bizarres.

La tolérance

J'irais peut-être à contre-courant sur ce point : je ne crois pas que la supposée rigidité de l'autisme s'accompagne nécessairement d'une intolérance accrue. Au contraire, les personnes avec autisme évitent souvent, de par leur mode de fonctionnement, un certain nombre de jugements hâtifs de la société. Par exemple, les gens qui ont une aptitude à lire les visages, aptitude assurément très positive, tendent à exclure des catégories humaines : ceux qui ont une couleur de peau différente, ou ceux qui ne sont pas « esthétiques », etc. Des personnes avec autisme qui n'ont pas ce type de fonctionnement mental peuvent accepter beaucoup plus facilement ces personnes-là, parfois d'ailleurs hélas à leur propre détriment.

Parfois, lors de mes présentations sur l'autisme, je demande au public d'évaluer la dangerosité de personnes dont je montre la photo. Quasi systématiquement, les personnes de couleur sont jugées dangereuses, même Gandhi sur les photos de jeunesse où on ne l'identifie pas aisément.

L'épuisement

Les personnes avec autisme se fatiguent beaucoup plus vite que les autres parce qu'elles doivent mener simultanément beaucoup de tâches de front. On parle parfois de double, ou de triple cursus pour l'enfant avec autisme à l'école, qui doit non seulement apprendre le français et les maths, mais également les codes sociaux. Et il doit suivre cet apprentissage tout en faisant particulièrement attention à ce que dit au même moment la maîtresse et à ce que font ses camarades de classe. Par exemple si la règle sociale veut que lorsque quelqu'un arrive dans la pièce où je me trouve je doive lui dire bonjour, alors tout en parlant à un interlocuteur, je suis plus ou moins obligé de consacrer un certain pourcentage de mon temps de calcul à surveiller les mouvements d'autres personnes dans la pièce, et, dès qu'il y a un mouvement, de tenter de réfléchir, de me demander si cette personne était déjà là dans cette pièce, ou non. Si elle était déjà là, il ne faut pas redire bonjour. Il y a beaucoup de choses auxquelles il faut faire particulièrement attention en permanence, sinon les erreurs seront encore plus nombreuses que prévu. Je crois que de Gaulle a dit quelque chose comme : une discussion avec ma femme m'épuise plus que trois Conseils des ministres. Bien sûr, il s'agit là d'une boutade. Pourtant, on peut y entrevoir la quantité de travail que représente un entretien social pour une personne avec autisme (je ne prétends pas pour autant que le Général l'était).

Les détails et la globalité

Les personnes avec autisme ont tendance à retenir les détails plutôt que la globalité. J'ai par exemple pour ma part plus de mal à retenir le visage que la couleur des chaussettes d'une personne. La difficulté étant que, pour la plupart des gens, la couleur des chaussettes change : par suite, ce ne peut être un critère d'identification des personnes.

Je me retrouve ainsi souvent face à des personnes que je connais, mais dont je ne sais pas réellement si ce sont bien elles ou quelqu'un d'autre qui leur ressemble... Je dois donc mettre en place un certain nombre de stratégies. Par exemple, passer devant elles en ayant la tête un peu tournée : si ce sont les bonnes personnes, elles vous diront bonjour, et vous pourrez toujours faire tacitement croire qu'ayant la tête tournée vous ne les avez pas vues.

Pour ce qui est des détails, j'ai plus tendance à retenir les cas exceptionnels, minoritaires, marginaux. Quand j'étais gamin et que j'apprenais les conjugaisons, il m'était beaucoup plus facile de retenir la conjugaison de messeoir, choir et gésir que celle des verbes du premier groupe. Souvent, l'attention portée aux détails est plus stimulante.

Parfois, pour rigoler, on dit que Sherlock Holmes avait des petits côtés autistiques, parce que ce qui faisait la différence entre lui et les autres inspecteurs et enquêteurs était qu'il remarquait tout de suite le petit détail que le voleur ou l'assassin avait oublié, s'étant dit que nul ne songerait jamais à cette chose. Précisément celle que Sherlock Holmes remarquait tout de suite.

Quand vous adressez la parole à un jeune autiste passionné d'histoire, il aura souvent tendance à vous énoncer toutes sortes de dates, de chiffres, de faits historiques, alors qu'un historien de métier fera un travail beaucoup plus synthétique. J'ai pendant longtemps essayé d'apprendre à le faire, avec maintes difficultés. Comment rédiger une dissertation dans les règles de l'art ? Une dissertation à la française reste un texte plutôt général avec de jolies phrases, une introduction, une transition, une conclusion. Les cas de détail, les exemples ponctuels sont soit intégrés dans le corps du texte, soit évités. Je me reconnais plus difficilement dans ce type d'exercice scolaire ; je l'ai plus ou moins appris, mais il ne me reste qu'une pratique artificielle. Spontanément, je me retrouve beaucoup plus dans un style d'historien qui raconte des histoires, donne des faits, des dates, des chiffres, des noms de personnages. Autant dire que la fréquentation de l'École des hautes études en sciences sociales exigeait un certain apprentissage préliminaire de ma part.

Surchauffe cérébrale et fuite des idées

Une succession rapide d'idées peut évoquer dans certains cas un changement brutal de sujet. Mais il ne faut pas se méprendre, je ne pense pas qu'il y ait réellement de changements de sujets impromptus chez les personnes avec autisme. La continuité peut se faire au niveau des structures globales de pensée. Si je parle de l'histoire du Moyen-Orient ancien, et si juste après, sans transition, je fais une phrase sur le maquillage de Carla Bruni, cela peut évoquer un changement brutal de sujet, mais peut-être que par là je souhaitais faire une analogie, souligner une remarque ou un point commun, une structure logique entre les deux.

Malheureusement, quand un enfant autiste parle, on ne se pose pas tant de questions. On conclut promptement : l'enfant ne sait pas de quoi il parle, il passe du coq à l'âne, alors même qu'il n'y a ni coq ni âne dans la pièce (je suis parfois moins assertif quant au deuxième animal, d'autant plus que son nom, lu à l'envers, évoque une grande école connue). Il faudrait aller au-delà de l'idée que les personnes avec autisme disent des choses inconsistantes.

Dans mon cas personnel, pendant les années où traînait à mon sujet un diagnostic de schizophrénie et où je n'ai jamais été formellement diagnostiqué comme tel, l'un des arguments phares était ce que l'on nomme la fuite des idées. Je crois que le concept « *Ideenflucht* » est dû à Ludwig Binswanger, un célèbre psychiatre suisse. Je me sentais concerné par cela et donc, pour moi comme pour le psychiatre à qui j'avais expliqué que mes idées fuyaient, c'était une sorte de semi-preuve ou de signe que je pourrais être atteint de schizophrénie.

Parfois on dit que les personnes avec autisme ne vivent pas dans un univers mais dans un « plurivers », pour rendre la quantité de détails qu'ils perçoivent, les idées et sensations qui leur sont évoquées.

Vitesse et lenteur

On affirme souvent que les personnes avec autisme sont lentes. Cela est probablement vrai dans un certain nombre de situations. Quand on prend en compte l'ensemble des paramètres, effectivement, la prise de décision prend plus de temps. Et quand on est pathologiquement indécis comme moi, encore plus.

Toutefois, les personnes autistes peuvent être très rapides sur ce qu'elles connaissent. Essayez de rivaliser en vitesse avec un mathématicien autiste ! De plus, prendre des décisions rapidement est très facile, comme le montre le fameux exemple de la justice, particulièrement rapide dans les régimes dictatoriaux. Avoir des jugements hâtifs est simple. Il serait tout aussi hâtif d'en tirer motif de gloriole.

Pour une personne autiste, souvent, prendre une décision nécessite d'abord de réfléchir à tous les aspects de la question posée ou de la situation qui se présente. Si vous partez en voyage, vous devez planifier toutes les étapes du périple. Vous devez savoir si vous préparerez votre valise tel ou tel jour, avoir en tête non seulement la liste des choses à prendre, mais dans quel ordre vous les mettrez dans votre valise. Cela prend beaucoup de temps. En revanche, il y a ainsi plus de chances que le voyage se passe bien.

À titre personnel, j'aimerais avoir plus de temps pour mes petites activités, mais je suis aussi pris dans le tourbillon et ma vitesse de marche dans la rue s'accélère en permanence. Le temps passé à ne rien faire est peut-être le plus intéressant. Dans d'autres cultures que j'ai eu la chance de fréquenter, on a davantage la possibilité de faire appel à ce type de chose. Dans certains pays, quand un nouveau visage apparaît à l'écran de télévision, d'abord, il énonce une phrase de prière, puis il salue les auditeurs, souhaite le meilleur à leur famille et à leurs affaires. Ce n'est qu'ensuite qu'il commence son propos, non sans présenter des excuses pour son ignorance supposée. En Occident, on couperait un tel gâchis de temps d'antenne. Nous rendons-nous compte que, encore maintenant, en 2012, dans certains pays du monde considérés comme rétrogrades ou archaïques, quand on allume la radio le soir, aux heures de grande écoute, il y a des récitations de poèmes classiques ? En Occident, nous avons des publicités calibrées pour tenir en un minimum de secondes et avoir le plus d'impact mental possible. À chacun sa culture.

Déficience mentale

La question de la déficience mentale chez les autistes est déjà ancienne, mais demeure insuffisamment étudiée. Il est manifeste que ces personnes peuvent être, comme d'autres, concernées par ce handicap. Toutefois, leur taux est probablement moins important que ce que l'on disait il y a quelques années, où la seule forme d'autisme connue était associée à de la déficience mentale. On affirmait que les autistes n'ayant pas de déficience mentale représentaient 0,01 % des cas, alors que la réalité est bien différente.

L'autisme peut s'accompagner ou non d'un handicap mental, tout comme il s'accompagne ou non d'une calvitie, d'une défaillance rénale ou d'autres particularités de la vie humaine. Le lien entre les deux n'est ni automatique ni évident.

Comment évalue-t-on la déficience mentale chez des personnes avec autisme ? Sur certains tests de QI, je suis gravement déficient. Si vous m'évaluez sur des questions considérées comme simples, sur des critères d'aptitude qui sont propres aux enfants de maternelle, mon score sera désastreux. Et il n'est pas sûr que je puisse passer en année de CP, même avec mes compétences sociales actuelles.

J'ai été assez intrigué par les recommandations récentes de la Haute autorité de santé (HAS). L'une des solutions proposée à longueur de page aux situations d'autisme est de faire des tests : évaluer, noter… comme si le fait d'attribuer une note allait changer quelque chose à la situation. Prenons le cas de certains autistes considérés maintenant comme ayant réussi : professeurs d'université, prix Nobel. Très souvent, dans leur enfance, on disait d'eux qu'ils étaient complètement débiles et déficients mentaux. Un professeur d'Einstein avait énoncé la fameuse sentence : de cet enfant, jamais rien de bon ne surgira. Aujourd'hui, tout le monde essaye de récupérer Einstein pour illustrer sa cause. Les héritiers de ceux qui avaient refusé d'échanger un tableau de Van Gogh contre un bol de soupe doivent aujourd'hui s'en mordre amèrement les doigts.

Quand j'étais petit, à l'école, qu'est-ce que je n'ai pas entendu de la part de mes profs sur mes faiblesses mentales et inaptitudes à réussir, sur l'échec qui me guettait dès la semaine suivante. Ou encore cette prof de troisième qui disait devant toute la classe : « Josef, il n'y a pas de honte à être débile ! Si tu es débile, dis-le », alors même que j'étais le premier de la classe. Quand j'étais en grande section de maternelle, j'étais objectivement gravement déficient, le pire de la classe, je ne savais rien faire. Ni nouer mes lacets ni peindre ni dessiner ni jouer au cerceau ni me bagarrer avec mes petits camarades pendant la récré. Je pouvais à peine marcher et, pour monter les escaliers, c'était très compliqué. Je me souviens de ces soirées où mes parents ne disaient pas un mot et se rendaient compte que mes résultats étaient catastrophiques.

Les choses changent. Il ne faut pas se fier à une sorte de sagesse professorale. Parfois, les enseignants, forts de leur expérience du métier, présument que tel ou tel enfant est un futur cancre, et il y a un risque de stigmate et de prophétie autoréalisatrice.

La mémoire

Je suis comme tout le monde, je retiens les choses qui m'intéressent. La différence tient peut-être à ce que je ne m'intéresse par aux mêmes choses que les autres. Lorsque je lis un texte sur les histoires de couple des acteurs à Hollywood, je suis incapable de retenir ne serait-ce que leurs noms, alors que pour beaucoup de gens, c'est un plaisir. Par contre, je retiendrai beaucoup plus facilement tel ou tel aspect grammatical d'une langue captivante. Ma mémoire est fluctuante, une grande banalité après tout. Et une grande déception je crois pour ceux qui voudraient que les autistes aient une mémoire extraordinaire.

Je n'ai jamais passé de test évaluant réellement ma mémoire, et d'ailleurs je ne pense pas qu'il y ait de test vraiment fiable à ce niveau-là. Quand je rencontre des gens issus d'autres cultures, même des gens passant pour ordinaires, je suis fasciné par la quantité de textes qu'ils connaissent par cœur. Je suis absolument bluffé de savoir que des Indiens peuvent connaître des livres entiers, à la virgule près. Tout simplement parce que dans ce type de culture il existe une certaine forme d'apprentissage que nous n'avons plus. Aujourd'hui les gens sont incapables de retenir des numéros de téléphone, alors qu'il y a vingt ou trente ans beaucoup en connaissaient plusieurs de mémoire.

Pour fonctionner dans la société en tant que personne avec autisme, nous avons besoin d'un certain nombre de ressources qui ne sont pas indispensables pour d'autres. Des ressources en termes de raisonnement, de mémorisation des situations sociales. Là où un fonctionnement intuitif ou spontané peut être suffisant pour la plupart des gens, nous avons besoin de quelque chose de beaucoup plus construit. Pour faire un parallèle peut-être un peu bancal, une personne avec handicap moteur a besoin d'un fauteuil roulant qui est parfois un bijou de technologie. Comparé à cela, le fait de marcher sur deux jambes peut paraître beaucoup plus banal. Pareillement, pour réussir à accomplir les mêmes tâches que les autres, nous avons besoin de mémoriser des situations sociales préalables pour nous constituer une base de données de cas, de petites phrases, voire même de blagues, que l'on peut réutiliser au moment idoine. Il faut aussi posséder une certaine faculté de réflexion pour savoir dans quelle case piocher et quelles ressources mobiliser pour se tirer d'affaire. La mémoire, chez les autistes comme chez les non-autistes, se travaille ; prenons le cas des serveurs dans les restaurants : au début, ils ont beaucoup de mal à se souvenir d'une commande même assez simple. Avec un peu d'expérience, ils en retiennent de très nombreuses sans aucune difficulté.

Petit génie

Je suis extrêmement sceptique vis-à-vis du cliché médiatique ou populaire du petit génie avec autisme. C'est à mon sens une restriction brutale de l'humanité de cette personne. On accepte très bien que tel ou tel gamin puisse faire des multiplications invraisemblables à la télé, mais on accède beaucoup moins à l'idée que, devenu adulte, il puisse aspirer à mener une vie autonome, aussi normale que possible – ou anormale suivant ses choix – et être maître de son destin.

Il faut bien se rendre compte par ailleurs que les « numéros de cirque » (il n'y a pas d'autre terme) qui sont parfois présentés à la télé sont complètement artificiels. N'importe qui peut vous faire le coup du calendrier perpétuel : tel jour de la semaine correspond à telle date. Il suffit d'apprendre l'algorithme, tout le monde ou presque peut le faire. Cela passe pour une preuve de petit génie autistique alors que c'est de l'escroquerie pure et simple sur le plan éthique.

Dans les capacités prétendument extraordinaires, il y a une part d'apprentissage, et il y a aussi l'aspect d'un don possible sous-jacent. Il y a des gens qui sont très doués pour la musique, ce qui n'est pas mon cas. Si vous me jouez trois notes, je suis incapable de les reconnaître cinq secondes plus tard. Et je parie que le plus doué des professeurs serait poussé au suicide s'il devait m'apprendre la musique.

J'aime bien faire un petit parallèle. Quand on apprend des langues anciennes, on utilise très souvent des manuels, des dictionnaires et des grammaires qui ont été faits au XIXe siècle par des « savants fous », notamment allemands. Ce sont des gens qui, pendant quarante ans, ont passé toutes leurs nuits à la lueur de la bougie à écrire sur tel ou tel trait morphosyntaxique de je ne sais quelle langue ancienne. Le travail est merveilleux parce que parfois il est quasiment parfait, en tout cas très difficile à dépasser. Mais on peut se poser des questions sur leur origine : est-ce que ce sont simplement les renonciations et les privations que les auteurs ont endurées qui l'expliquent, ou est-ce qu'ils avaient des dons ? Qu'est-ce qui fait qu'un grand auteur est capable de produire son œuvre ? Est-ce parce qu'il utilise des éléments du langage qu'il a appris à l'école ? Ou bien est-ce parce que c'est quelqu'un qui s'est isolé dans la montagne pendant dix ans et, du fait d'une forme de masochisme, a réussi à produire son œuvre ? On ne le sait pas. Heureusement que l'être humain peut garder ce qui fait son essence intime et son côté fondamentalement plaisant.

Intérêts spécifiques

Quand on rencontre une personne avec autisme, ce qui frappe souvent en premier est qu'elle possède ce qu'on appelle un intérêt spécifique, c'est-à-dire qu'elle consacre une bonne partie de son temps libre à un sujet qui la passionne. Cela peut être une collection de piles russes du XIXe siècle, une certaine grammaire, des sujets plus socialement acceptés, comme les chevaux... tout est possible.

Les parents se demandent parfois s'ils doivent laisser leur enfant avec autisme se consacrer à des sujets qui leur paraissent complètement stupides, ou sans intérêt. On peut retourner la question : vous, qu'est-ce que vous faites en rentrant chez vous ? Certains regardent la télé, ou écoutent de la musique... est-ce nécessaire pour eux ? Les gens disent oui. Il convient de comprendre que pour l'enfant ou l'adulte avec autisme, l'intérêt spécifique est aussi utile, aussi nécessaire à la construction de sa personnalité et à son équilibre psychologique que le fait d'écouter de la musique, d'aller au cinéma, ou d'aller à la piscine avec des amis pour d'autres. Les gens ont parfois du mal à le comprendre et estiment qu'écouter tel ou tel chanteur ou chanteuse est un loisir socialement accepté, alors que le fait de bouquiner dans une bibliothèque peut passer pour un loisir marginal, bizarre, inutile.

Au Japon, maîtriser le jeu de go est une aptitude majeure socialement très utile, voire quasiment nécessaire ; le niveau dans le jeu de go se met sur les CV… En France, beaucoup de gens ne savent même pas ce que c'est. On peut supposer que si un enfant avec autisme se passionnait pour ce jeu, ses parents lui diraient : mais qu'est-ce que tu fais ? Intéresse-toi à des choses plus passionnantes, va jouer au tennis…

Quelle est l'utilité de ces intérêts spécifiques ? Ce ne sont pas que des lubies complètement arbitraires. Ils contribuent à l'élaboration de la personnalité, de ce que l'on est en tant qu'être humain. Au bout de quelques années, ils peuvent déboucher sur un métier. Si un jeune avec autisme se passionne pour l'informatique, il pourra peut-être devenir informaticien.

Ces intérêts spécifiques peuvent également contribuer à l'insertion de la personne dans la société. Les personnes avec autisme, comme je l'ai déjà expliqué, ont souvent une très mauvaise image d'elles-mêmes parce que tout le monde leur a dit et répété combien elles étaient nulles et crétines. Le fait que tout le monde sache que la personne est compétente dans tel domaine très technique et compliqué peut changer la donne : « Mais il n'est pas si débile que ça, au fond ! » Si l'ordinateur des personnes autour de vous est en panne, si vous savez le réparer, ils feront peut-être appel à vous une autre fois, et peut-être aurez-vous un premier contact humain. Je pense que les intérêts spécifiques ne sont pas un ennemi, loin de là, et qu'une interdiction, une opposition frontale n'est pas une bonne solution.

Certains enfants avec autisme ont un centre d'intérêt unique ; chez moi, ce n'était pas le cas : j'en avais beaucoup, qui alternaient et parfois se superposaient. L'avantage est que cela m'a permis de découvrir beaucoup de domaines ; l'inconvénient, que je ne suis spécialiste de rien. Dans mon enfance, comme je l'ai déjà dit, j'ai eu pendant des années une véritable passion pour l'Égypte ancienne. Je connaissais beaucoup de choses sur l'histoire des trente dynasties de pharaons. Récemment, sur Internet, je suis tombé sur des recherches conséquentes sur l'époque protodynastique en Égypte. J'ai été fasciné parce que, quand j'étais gamin, je ne disposais pas de tous ces matériaux et je me demandais toujours comment ce pays était avant les premiers pharaons fondateurs. Accéder à ces documents m'a assez perturbé. À près d'un quart de siècle d'écart, j'ai eu un petit choc émotionnel en les découvrant...

Ce ne sont pas des lubies passagères qui font que l'enfant avec autisme fait ceci ou cela. Il s'agit de quelque chose de plus structurant dans sa personnalité, et qui reste ensuite toute sa vie. De là la nécessité de prendre en compte ces passions particulières, de faire en sorte que cela se passe bien à tous les niveaux pour l'enfant, et ensuite pour l'adulte avec autisme.

J'ai également été passionné par la météo, sujet intéressant parce qu'il s'agit d'un domaine scientifique, avec beaucoup de connaissances techniques, d'une extrême mobilité et d'une grande diversité : le temps n'est jamais pareil, les nuages ne sont jamais pareils. Finalement, vous pouvez avoir recours à des modèles mathématiques et scientifiques particulièrement complexes, captivants, pour un phénomène qui est en permanence à découvrir.

J'ai aussi eu ma période Japon. Malheureusement je n'ai jamais appris le japonais. J'étais trop jeune, et une telle option n'existait pas là où j'étais. Le seul sujet de conversation possible avec moi, à cette époque, était l'histoire, l'économie et la sociologie du Japon... Autant dire que je n'avais pas d'interlocuteurs de mon âge. Aujourd'hui, avec Internet, la donne serait peut-être différente.

Stéréotypies

Plus jeune, j'avais beaucoup de stéréotypies. Qu'elles se voient aujourd'hui peut-être un peu moins, j'en suis ravi, mais je pense quand même en avoir gardé un certain nombre. Il y a quelques années, je pouvais faire des battements de mains pendant des heures ; quand la personne que j'avais en face de moi racontait quelque chose d'intéressant, j'accélérais le mouvement. Je ne me rendais pas compte que cela pouvait être gênant pour mon interlocuteur. À la maison, je le fais parfois encore, quoique moins qu'avant. En public, j'essaie de ne pas agiter les mains, je me surveille pour éviter certains dérapages. Sauter de joie est pour moi pris au sens littéral ; le tout est de ne pas le faire en public – ou tard le soir, quand les voisins du dessous dorment. Lorsqu'on est adulte et plus soucieux de l'image que l'on renvoie, il y a des injonctions sociales… d'ailleurs malheureuses. L'une des raisons pour lesquelles les adultes apprennent plus difficilement les langues étrangères que les enfants est qu'ils tiennent souvent trop à leur fameuse « dignité ». Ils se sentent coupables lorsqu'ils font une faute ou acceptent mal que le prof corrige leur erreur. Les enfants ont moins ce type de retenue et, de ce fait, apprennent souvent beaucoup plus facilement. Je me dis qu'il n'y a aucun mal à rester un enfant. Quand on voit ce que font les adultes… Je sais que les enfants sont cruels aussi, mais dans l'horreur et la manipulation, je crois qu'ils ne vont pas aussi loin que les adultes.

Je passe beaucoup de temps à lire la presse sur Internet, en partie pour mon métier[1], mais aussi par intérêt. Et j'ai

---

1. Voir chapitre 6.

une stéréotypie qui est invisible : j'ai tendance à consulter un nombre restreint de sites d'informations en boucle et toujours dans le même ordre.

Pour autant, il ne faut pas croire que les autistes ont des stéréotypies et que les non-autistes n'en ont pas. Les stéréotypies des personnes non autistes passent simplement pour naturelles, sont mieux acceptées socialement. Il est hautement instructif à ce titre de regarder les gens, par exemple dans les transports en commun : chacun a son petit tic, les cheveux, les lunettes, les mouchoirs...

Téléphone professionnel, ou l'horreur faite bruit

Le téléphone, contrairement aux mails, oblige à répondre instantanément. Cela présuppose de votre part une certaine souplesse mentale. Vous ne pouvez pas dire : je termine ce que je fais et je réponds juste après. Non. Cela sonne quand vous ne voulez pas. De plus, vous devez avoir une autre souplesse mentale, celle de savoir répondre ; vous ne savez pas, *a priori*, ce qu'on va vous dire. Dans une entreprise, il y a toutes sortes d'appels, depuis le livreur qui a un colis pour vous, jusqu'au client mécontent, en passant par tel ou tel fournisseur, les services publics, la fiscalité... Tous peuvent téléphoner. Et vous devez savoir instantanément répondre comme il faut, passer la personne qui convient. Il faut également savoir gérer le stress. Typiquement, quand vous travaillez à l'accueil d'une entreprise, il peut se passer quelques heures sans le moindre événement. Mais ensuite, à un moment donné, pour des raisons mystérieuses, tout le monde et tout vous tombe en même temps dessus : tous les coups de fil, tous les visiteurs. Et vous n'avez pas le droit à la moindre défaillance. Être employé comme secrétaire (maintenant on dit assistante de direction) est un travail à haute responsabilité. Mais il n'est pas reconnu comme tel, naturellement.

Il y a aussi quelque chose de plus vicieux : reconnaître la personne à la voix. Il y a des gens qui le font à merveille, par exemple mon patron à la Mairie. Je ne peux que les admirer. On dit parfois que beaucoup d'autistes ont des problèmes pour reconnaître le visage des gens ; je pense que pour la voix, il y a quelque chose d'analogue.

Vient la question, élémentaire, de la sonnerie du téléphone. Aujourd'hui, on commence à adapter quelque peu les sonneries ; elles restent pourtant très stressantes.

Maintenant, grâce aux progrès d'Internet et des emails, je suis de moins en moins amené à téléphoner pour raison professionnelle, voire quasiment jamais. Un vif soulagement. Je me souviens qu'il y a quelques années, cela pouvait me rendre malade pendant des semaines.

Téléphone privé, ou le cirque social

Observer les gens qui téléphonent est un spectacle extraordinairement instructif. De petits phénomènes dans l'intonation de leur voix indiquent que c'est l'autre personne qui est en train de parler, interrompt son interlocuteur ou qu'on approche de la fin de la conversation.

Les personnes autistes souvent ne perçoivent pas tout cela. D'où des quiproquos terribles. Parfois, quand il y a deux autistes au téléphone, cela dégénère, même pour des questions élémentaires. Plus personne ne sait à quel moment il faut parler, si le silence se fait parce que l'autre attend la réponse, ou à cause de l'absence de réseau.

Je téléphone assez rarement. J'ai essayé d'apprendre. À ce titre, j'ai remarqué que les autres, quand ils téléphonent, manifestent leur présence très régulièrement en disant des petites choses, en faisant des petits bruits, totalement inconscients en général. Donc je tente de faire de même. Il ne faut pas rester plus de quinze ou vingt secondes complètement silencieux, même quand l'autre est en pleine tirade sur je ne sais quel sujet ; il vaut mieux regarder toujours sa montre et essayer de faire un petit bruit de temps en temps. Que l'on ait ou non l'impression d'être au cirque ou à la foire, cela semble fonctionner. Naturellement, il vaut mieux ne pas le faire quand on téléphone à une personne autiste, les bruits pouvant le perturber. De même que les signes d'approbation. Si les gens recherchent souvent l'approbation de l'autre, ce n'est pas aussi nettement le cas pour les personnes avec autisme. Je suis toujours surpris de voir à quel point beaucoup d'hommes politiques sont littéralement dépendants de ces gestes d'approbation, du nombre d'applaudissements. Sans eux, je pense qu'ils souffriraient, un peu comme un drogué privé de sa dose, pour se retrouver finalement dans une situation de grande faiblesse, étant incapables de passer ne serait-ce que quelques jours sans signes d'admiration de la part d'autres personnes. Cela contribue peut-être à expliquer pourquoi les hommes politiques font parfois des folies. Ils sont tellement dépendants que soudain ils peuvent, par exemple pour certaines subventions associatives, donner une somme délirante parce que, pendant une fraction de seconde, ils ont reçu la petite dose de morphine qui leur manquait. Cela donne à réfléchir. Je n'ose pas imaginer à quoi ressemblerait un gouvernement composé d'autistes. Cela finirait sans doute très mal !

Et les emails

Les emails sont tout l'inverse du téléphone. On peut écrire quand on veut ou presque. On peut répondre la nuit, on peut commencer plusieurs mails en même temps et ajouter une phrase par-ci, et puis dans un autre une phrase par-là.

Pour moi, au-delà des apparentes facilités techniques offertes par les emails, un problème pour ainsi dire affectif entre en ligne de compte. Il m'est difficile de répondre à certains emails, même si, et peut-être parce que, ils sont très gentils. Les emails de flatteries sont redoutables. Quand quelqu'un dit : « J'ai bien aimé votre conférence », que faut-il répondre ? Je me dis alors que je répondrai plus tard. À ceci près que retarder la rédaction d'un email ne fait qu'augmenter la pression psychologique, devient douloureux. Cela demande un effort certain. Les emails techniques sont peut-être les plus faciles à expédier.

Écrire des emails exige de connaître une phraséologie diversifiée. Ma gamme n'est toutefois pas infinie, loin de là. Pendant des années, j'étais fort préoccupé par les phrases d'introduction, la manière dont on s'adresse à son inter-locuteur. Peut-on commencer un email par « Bonjour », chose que je n'ai jamais faite jusqu'à fort récemment ? Est-ce qu'on dit « Monsieur », (virgule), ou alors « Cher Monsieur », (virgule) ? En français hors de France, il est assez commun de dire « Monsieur » suivi du prénom, par exemple « Monsieur André », ce qui en français de France est une hérésie ; or, quand j'écris depuis la France à un non-Français en français, puis-je utiliser cette formule ?

Et comment conclure un email ? Faut-il utiliser la tournure pour les lettres « Veuillez agréer… » ? Nous sommes en présence d'une innovation perpétuelle, assez perturbante. À une époque, régnait la mode du « À très vite ». Maintenant, je reçois de plus en plus d'emails avec « Chaleureusement ». Mais je n'utilise jamais le « Bien à vous ». Cette phrase-là ne m'a jamais plu. Si je ne suivais que mes goûts, je serais resté à la phrase très protocolaire des lettres classiques : « ... que je demeure avec un zèle respectueux de SON EXCELLENCE, le très humble, très obéissant et très fidèle serviteur ». Au demeurant, j'ai écrit, à mes débuts, de pareilles missives, que mon interlocuteur avait caractérisées, sur un forum, de pathétiques.

Pour me faciliter la tâche, j'ai adopté une stratégie du tac au tac : je m'adresse à mon interlocuteur comme il le fait envers moi. S'il me donne du « Cher Josef », je fais de même avec son prénom. S'il me tutoie, je le tutoie. La stratégie n'est pas parfaite, notamment avec des interlocuteurs féminins. J'ai observé à maintes reprises que quand on me donnait du « Cher Josef », et que, par conséquent, je répliquais par « Chère XYZ », la réponse ne contenait plus de salutation du tout. Comme si j'avais fait une gaffe. Le problème est délicat : dois-je être intrusif (en faisant comme mon interlocutrice) ou glacial (en faisant usage de termes très formels) ? Je ne sais.

Les sentiments

Une théorie très ancienne prétend que les autistes n'auraient pas de vie émotionnelle, ou alors assez pauvre. Il y a eu des tentatives de récréer chez eux, par des thérapies quelconques, une vie émotionnelle. Je crois qu'il s'agit d'une grave erreur.

Les personnes avec autisme ont une vie émotionnelle comme tout le monde, certains, sans que j'ose m'aventurer jusque-là, disent même : un peu plus riche que les autres.

Leurs émotions peuvent s'exprimer différemment. Certaines personnes rient, pleurent, crient ; chez les autistes, cela peut être différent. De là sûrement la tentation de dire que la personne en face de nous ne ressent pas la même émotion lorsqu'elle ne le manifeste pas de la même manière.

Sur le plan personnel, je pense avoir une vie émotionnelle assez riche. Je peux avoir plusieurs émotions qui se superposent ou qui coexistent au même moment. Mais je peux ne pas les exprimer ou les exprimer autrement. Les gens qui ont l'habitude de me fréquenter savent peut-être mieux décoder mes comportements que des personnes nouvellement venues. Je suis assez frappé, quand je rencontre des jeunes avec autisme qui sont poètes, par la richesse qu'ils savent mettre dans un texte. Après tout, quand on lit les biographies des grands auteurs, des grands peintres, on peut se poser maintes questions, tant on retrouve des éléments bien connus.

5

Ma toxicomanie

Il est temps de faire un aveu lourd. Je suis toxicomane. Il ne s'agit pas d'un jeu d'esprit, plutôt d'un dérèglement des mécanismes fondamentaux. Certes, les molécules impliquées ne sont pas nécessairement celles auxquelles un responsable du maintien de l'ordre pense en premier – du moins vaut-il mieux pour la suite des choses dire ceci que l'inverse. Les dérèglements consécutifs, eux, sont du même ordre de gravité. Et les mécanismes d'addiction analogues.

La mère et ses disciplines

Dans une interview datée de novembre 1979 et qui fit scandale récemment avec le changement de contexte autour de la pédophilie, Dolto expliquait que l'inceste du père était lu par sa fille comme une marque d'amour. L'inceste maternel, quant à lui, ne peut, selon d'aucuns, avoir pour fruit que la psychose. D'autres ont bien mieux montré que moi le sens à donner ou non à cet énoncé. Je me contenterai pour ma part de le reprendre ici sur le plan symbolique, ne serait-ce qu'en raison du potentiel humoristique d'un pan de la psychanalyse.

L'université est communément, dans une métaphore sombrant peu à peu dans l'oubli, appelée *alma mater*, la mère nourrissante (« nourricière », diront les psychanalystes en herbe ou plutôt en couches, pour jouer avec « souricière »), tandis que ses élèves sont les nourrissons (l'anglais a encore conservé le terme *alumni* au sens d'anciens élèves »). Nourrisson de la mère en question, ce qui devait arriver arriva : je me suis retrouvé pris au piège. Un piège lacté, donc délicieux. Et étrange, puisque d'ordinaire, on attire la souris avec du fromage, ou un peu de compote sans gluten ni lactose pour les souris autistes, avant de la soumettre aux rigueurs du piège ; ici, l'approche fut difficile et laborieuse, contrairement à la suite. En somme, me voici éternel étudiant. Avec, à en croire certains, une psychose infantile en prime.

L'un des temps forts de la vie d'un éternel étudiant – peut-être l'équivalent de l'arrivée, à laquelle je n'ai jamais rien compris, du beaujolais nouveau – est assurément la publication des programmes des cours des différentes universités situées dans son rayon d'action. Il s'agit de l'une de mes lectures préférées. Chaque année, il y a les valeurs sûres et les autres. Les Business Schools offrent une mise en page qui attire le regard, mais dont le contenu laisse le nourrisson affamé et inconsolable. L'École pratique des hautes études, à l'inverse, propose généralement le programme le plus ravissant. Décodage de manuscrits anciens, lecture d'ouvrages dont lire le titre correctement est déjà un exploit, cours de langues dont je ne soupçonnais pas l'existence. Avec en prime un traitement de faveur pour le nourrisson, puisque l'affluence dans la salle d'alimentation dépasse rarement la dizaine de participants, lui épargnant donc maintes surcharges sensorielles. Peut-être que mon attrait pour ces cours provient d'un phénomène de miroir, leur marginalité étant à l'image de la mienne ; je ne sais. Peu importent les explications, le fait est que je trouve autrement plus stimulant d'assister à un atelier de décryptage d'un manuscrit plutôt que d'aller dans un cours de certaines grandes écoles jugées prestigieuses. Ce qui m'intrigue, c'est que, souvent, les personnes à qui j'expose mon point de vue sont du même avis, sans pour autant s'y adonner elles aussi.

Je garde par exemple en mémoire cet atelier de décodage commun de manuscrits de Qumran avec un jeune professeur allemand. Pour chaque session, nous recevions un fragment de texte scanné à préparer à la maison. En classe, il nous montrait comment il donnait sens à ce qui me paraissait n'être qu'un défaut du support, ou alors un passage définitivement perdu.

Maths et histoire, ou comment on devient littéraire

Si l'on fait abstraction des centres d'intérêt non constitués en disciplines de mon enfance, depuis les constructions de baromètres ratés jusqu'à la mémorisation de listes de noms d'animaux australiens, les deux domaines qui ont peut-être eu un rôle structurant – le mot fait sourire tant une telle chose me fait désespérément défaut – ont été les maths et l'histoire.

Les maths ont représenté pendant des années mon projet professionnel. Je savais même dans quelle université j'allais m'inscrire après le bac, et mon dossier était prêt. C'était peut-être la matière universitairement reconnue où j'avais le plus de facilités. Je suppose que je m'y sentais comme le musicien qui joue un morceau ou en compose un sans même songer qu'il le fait, sans effort apparent. Les maths sont également moins exigeantes en termes de contacts sociaux : même en étant peu bavard, on peut travailler en groupe. Avec d'autant moins de stress que, sans vouloir faire de généralisations abusives, mais en en faisant quand même, les aptitudes sociales mises en œuvre par nombre de matheux ne sont pas comparables à celles de, par exemple, leurs collègues politiciens.

De plus, les maths sont un domaine particulièrement varié, avec toutes sortes de branches, approches et méthodologies. Entre la topologie et l'algèbre, par exemple, la diversité est probablement analogue à celle observée entre la linguistique chinoise et la géographie des États-Unis.

À certains égards, l'histoire peut paraître l'inverse. Plutôt que d'énoncer des faits atemporels, on évoque des événements qui viennent et qui passent. Autre trait potentiellement gênant, l'histoire repose sur l'usage d'une langue semi-littéraire, porte ouverte à toutes les dérives. Mon père aime bien raconter combien de fois au cours de sa seule scolarité l'historiographie de la grande révolution d'Octobre a changé, et comment il lui fallait régulièrement barbouiller d'encre le visage de tel ou tel individu dans les manuels, en inscrivant par exemple « traître à la solde de l'agresseur impérialiste » en lieu et place de « authentique héros prolétarien ». Cela étant, l'histoire pouvait également être vue comme une forme de permanence, un maintien en mémoire du passé : telle était la lecture que j'en faisais étant enfant, et qui me la rendait agréable.

En outre, il est des manuels qui sont moins bavards que d'autres, qui comportent plus de données, de chiffres et parfois de photos. Un paradis pour petits autistes. Autant analyser la politique d'Adenauer peut être particulièrement lassant et incompréhensible, autant connaître sa date de naissance et d'autres détails est captivant.

L'histoire m'a beaucoup apporté, notamment au niveau de la formation générale. C'est peut-être en partie grâce à elle que je me suis ouvert au monde dit humain. L'intérêt pour les dates, les listes de noms de personnages historiques a peu à peu, imperceptiblement, laissé davantage de place aux considérations théoriques. Quand on sait à quelle date a été exécuté Beria ou un autre, on apprend assez vite comment il l'a été, puis par qui et pour quel motif. En lisant des documents des procès de Moscou, on découvre une certaine terminologie politique, peut-être un mode de fonctionnement de ce que l'on nommait il y a un certain temps encore l'idéologie.

Assurément, l'objection fondée tient à ce que les histoires des camps de concentration ne sont pas faites pour les enfants. Quelle idée de lire Soljénitsyne plutôt que, par exemple, de s'intéresser à tel ou tel conte de fées ? Cela étant, les contes de fées, tout bien considéré, ne sont pas des histoires d'enfants de chœur ; leur cruauté n'est plus à démontrer. Si l'aspect terrible du méchant peut en quelque sorte rendre l'enfant d'emblée conscient du caractère fictif de l'ensemble, je ne suis pas certain que cela joue dans le cas des enfants avec autisme. De plus, faire grandir l'enfant dans une bulle ouatée implique, à un moment ou à un autre, une mise en contact avec le réel : ce n'est pas nécessairement un choix optimal sur le long terme. D'autant plus que je me demande bien comment mes parents auraient pu dissimuler à leur progéniture l'essence même de leur situation, de leur vie en exil en France ou, plus banalement, pourquoi, quand ils téléphonaient à des personnes restées de l'autre côté du rideau, il fallait attendre aussi longtemps avant que la communication soit établie, et pourquoi ils devaient parler avec la plus extrême prudence, la ligne étant coupée au moindre mot de travers ? L'histoire est peut-être avant tout une formidable leçon de vérité. Face aux horreurs et informations contradictoires, tout le défi est de ne pas céder à ce cynisme et ce pessimisme noirs qui ont marqué la vie de tant d'exilés politiques, en particulier après 1989, lorsque le but de leur combat avait disparu et que le pays auquel ils avaient tant aspiré ne les acceptait plus.

Les bouquins : profession déménageur

Mathématiques et histoire ont un support. Le manier occupa une bonne partie de mon enfance et au-delà. Quand je n'allais pas en cours, je fréquentais des bibliothèques. À ma manière. Au tout début, l'impressionnant stock de livres de mes parents, puis les bibliothèques municipales.

Mes expéditions avaient sans doute quelque chose de pittoresque dont je ne me rendais pas compte. Je pouvais rester assis longtemps dans un recoin de la bibliothèque, quand il n'était pas trop bruyant, généralement dans les rayons désertés car jugés inintéressants par les autres lecteurs. Je pouvais lire tous les bouquins d'un même rayon ou d'un même auteur, les uns après les autres. Ou relire en boucle un même livre.

J'étais un gros consommateur. Deux, trois, quatre doses par jour. Le produit était transporté dans de volumineux sacs à dos, un devant, un derrière, d'autres parfois tenus à la main. Dans le jargon spécialisé, j'étais à la fois « mule » et consommateur. Mes parents avaient réussi à négocier avec les bibliothécaires pour que je puisse dépasser les plafonds de prêt en termes de nombre de bouquins. De même au CDI du collège, où la bibliothécaire m'avait elle-même proposé quelques arrangements. Elle devait être heureuse que quelqu'un aime son CDI, généralement désert. Et elle avait vu que je rendais les livres en temps et en heure, donc elle n'avait pas d'inquiétude à se faire. Pour moi, un excellent souvenir.

Comme pour toute toxicomanie, il y eut des moments pénibles. Avant d'accéder aux joies du CDI du collège, je pouvais profiter des livres, certes en nombre plus restreint, disponibles dans un coin des salles de classe de primaire. Jusqu'à y passer le plus clair de mon temps. Quand la maîtresse craquait et m'intimait l'ordre de regagner mon siège, parfois je poursuivais le vice, caché sous la table. Plus d'une fois je fus surpris. Et un jour, la prof, me surprenant, le fut à son tour, en découvrant que le livre caché était un manuel de politesse.

Le simple et le compliqué

Les thématiques de mes lectures, au-delà des petites histoires, peuvent permettre d'aborder une question plus générale qui n'est pas sans impact sur le devenir scolaire et personnel des jeunes avec autisme : le simple et le compliqué. D'ordinaire, ce qui est appelé le « bon sens » exige de commencer l'apprentissage des enfants par le simple, avant de passer au compliqué. C'est à cause de ce principe non dit que j'ai fini par comprendre que quand un de mes profs de seconde me disait : « Monsieur Schovanec, pourquoi faire simple quand on peut faire compliqué ? » il se moquait de moi. Toute la question est de savoir ce qui est simple et ce qui est compliqué. À mes yeux, même aujourd'hui, il n'est pas de titre plus compliqué à comprendre, dans la presse, que celui d'un tabloïd. À l'inverse, la presse financière telle que le *Financial Times* est assez claire : des données, des chiffres, que l'on aime ou que l'on n'aime pas, mais que l'on peut comprendre. La presse tabloïd utilise mille clins d'œil, au propre comme au figuré, présuppose la connaissance de nombreuses personnes, a développé un jargon spécialisé, voire une langue peu compréhensible pour les initiés, à l'image de l'anglais *The Sun*, dont les articles m'échappent toujours au moins en partie, alors qu'ils sont censés s'adresser au plus grand public. Tout ceci est à méditer dans le choix des ouvrages proposés à la lecture des enfants avec autisme. À mon avis, *Blanche-Neige* est plus un récit pour adultes, avec le double sens de l'expression, qu'une lecture aisée et attrayante pour un enfant ayant eu un profil similaire au mien.

Mon enfance a donc été faite de lectures étranges. Certains titres me reviennent encore en mémoire, comme ce fameux livre sur les moisissures, les encyclopédies sur les animaux et les techniques. Un autre également, préfiguration peut-être de la suite : *L'Homme neuronal*, du neurobiologiste Jean-Pierre Changeux, que j'avais emprunté deux fois à quelques années d'intervalle et lu avec autant d'attention – bien que je sois devenu de plus en plus critique avec le temps.

Rétrospectivement, il est difficile de savoir ce que je comprenais et ce que je ne comprenais pas dans ces livres. Peut-être que là n'est pas l'essentiel. Si on devait ne lire que ce que l'on comprend parfaitement, on ne lirait plus rien. Et une certaine difficulté de lecture pourrait bien être parfaitement nécessaire pour la formation de l'être humain.

Les bibliothèques tueuses et autres périls du contenant

Les bibliothèques et moi, c'est donc une longue histoire. Pendant des années, aller à la bibliothèque était la seule activité sociale qui m'était accessible. Jusqu'à aujourd'hui, j'en reste un grand amateur, certes de plus en plus capricieux et sélectif. Enfant comme adulte, j'avais et j'ai toujours toutes sortes de cartes de bibliothèque. Un de mes grands moments de plaisir, quand ma charge de travail me le permet, est d'y aller le soir. Le soir, parce que c'est plus calme. Je suis un fervent partisan de l'ouverture très tardive des bibliothèques. Il y a certains pays où elles sont ouvertes en permanence. Un fantasme absolu en quelque sorte. Le soir ou la nuit, en général, leur niveau sonore descend presque à zéro. Leur fréquentation également. Le sentiment d'urgence, d'avoir à faire quelque chose d'« utile » de son temps, disparaît ou est relativisé. Mes meilleurs souvenirs de bibliothèques sont ceux où elles étaient désertes, tout comme mes deux meilleurs souvenirs de vol en avion sont ceux où il n'y avait presque personne à bord. Un peu comme Kafka réfléchissait à l'habitation idéale, j'avais un temps songé à la bibliothèque idéale, sa disposition, son choix de livres, l'apparence des rayons... Désormais, je sais qu'elle n'existe pas, mais en observant les bibliothèques existantes, je suis convaincu que des facteurs relatifs à leur conception influencent ce que les gens retirent ou non de leurs lectures. Ayant pu visiter quelques bibliothèques à travers le monde, j'ai aussi été frappé par l'impact des éléments culturels sous-jacents sur leur conception générale : combien de livres sont en accès direct ou non, comment sont classés les ouvrages, etc.

Le classement de livres est une thématique assez négligée par les spécialistes de l'autisme, qui permettrait pourtant de comprendre certaines choses. On m'a rapporté, mais je n'ai pas les références exactes de la citation, que Karl Popper a compris ce lien profond entre la personnalité et son rangement, en disant dans l'une des boutades qui le caractérisaient que l'intellectuel était celui qui ne savait pas ranger ses livres. J'ai pu discuter avec des adultes avec autisme pour savoir comment ils rangeaient les leurs. Comme prévu, ils ont des méthodes de classement qui sortent un peu de l'ordinaire, par exemple par date de parution, ce qui n'est pas un mode classique, mais qui a sa logique en fin de compte, notamment quand on s'intéresse à l'histoire de la musique ou des idées.

Pour ma part, je ne classe pas, je subis une accumulation qui me dépasse. Pourtant, faute de moyens financiers, je n'achète que rarement des livres ; ceux que l'on m'offre suffisent à occuper mon espace vital. Au-delà d'une certaine hauteur, la pile entière devient inutilisable. Un de mes amis redoute de périr écrasé sous une montagne de livres – de dictionnaires en l'occurrence, eu égard à ses préférences. Un ami de mes parents, aujourd'hui décédé et de toute évidence assez concerné par l'autisme, accumulait les livres dans sa baignoire jusqu'à ce que le sol cède et que toute la collection finisse chez le voisin du dessous. Un entretien de Dumézil au soir de sa vie me revient en mémoire, où il exposait, rare moment autobiographique chez ce linguiste pudique, sa tristesse de ne plus pouvoir toucher aux livres de sa « bibliopile », sous peine d'effondrement généralisé de tout son chez-lui. Enfin, cas le plus tragique sans doute, un chercheur avec autisme dont je connais des proches a dû louer sept grands appartements pour entreposer ses livres et écrits, menant à la banqueroute de son foyer et à son suicide il y a de cela deux ans.

En plus du classement, il y a la manière de déambuler entre les rayons. Dans mon enfance, typiquement, les parties les plus fréquentées des bibliothèques, celles où étaient par exemple les cassettes puis les CD, étaient celles où je n'allais pas, chose qui n'a pas varié jusqu'à ce jour. En revanche, je repérais très vite l'étagère ou le meuble où il y avait les bouquins sur le sujet qui faisait l'objet de mon centre d'intérêt du moment. J'avais tendance à lire les ouvrages dans ce que je tenais pour être un ordre, par exemple la séquence alphabétique. Je pouvais commencer par tel côté d'une étagère, puis emprunter dix livres d'un coup, les lire à la maison, avant d'emprunter les dix suivants. Ou bien je pouvais commencer par les plus gros de la rangée, avant de passer aux plus petits. Mes favoris étaient ceux que j'empruntais chaque année à la même période. Malheureusement ou heureusement, mes souvenirs ne sont plus très nets sur le déroulement séquentiel précis des opérations. La thématique primait toutefois : lorsque je m'intéressais aux insectes et aux papillons de nuit, si dans la rangée il y avait un bouquin qui ne parlait pas du sujet, je ne le lisais pas.

Retour au livre

Pourquoi aime-t-on le livre ? Ce n'est pas que pour le contenu. Les éditeurs au demeurant publient toute une gamme de livres qui n'ont pas vocation à être lus. Je serais curieux par exemple de savoir combien des épais volumes de James Joyce vendus dans les aéroports irlandais sont véritablement lus. Il y a beaucoup d'autres facteurs qui, du moins pour moi, entrent en compte dans le jugement d'un ouvrage, tels que le papier, sa couleur, sa texture. Et surtout son odeur. Je ne peux pas lire sérieusement un livre sans sentir son odeur. On m'a expliqué qu'il ne fallait pas le faire en public. J'essaie donc de le faire en cachette. J'oublie assez rapidement les titres et les auteurs, mais je retiens assez bien l'odeur, la texture du papier, la manière dont il est découpé, si la découpe est complètement droite ou s'il y a des petits reliefs, quelle est la couleur de la couverture, etc. Ces choses sont vraiment des marqueurs identifiants qui à mes yeux créent l'identité du livre, beaucoup plus que le nom de l'auteur.

Au demeurant, jusqu'à un âge relativement avancé, je pensais que les bouquins n'avaient pas d'auteur humain, qu'ils étaient des données de la nature, qu'il y avait des livres comme il y a des pierres et des rivières. Je n'avais pas compris qu'une personne, à un moment donné, avait écrit l'ouvrage.

Le livre donne de l'énergie, remet les idées en place pour tenter des interactions sociales. Ce ne doit être assurément ni une finalité assignée au livre, ni une obsession permanente du lecteur, mais cela peut ajouter un attrait à la lecture. Supposons que vous aimiez manger des framboises, cela ne veut pas dire que vous n'ayez aucune interaction sociale à côté. Dans le cas des personnes avec autisme, il en est de même : on peut aimer les bibliothèques et avoir quelques contacts avec des amis – du moins je l'espère. Et contrairement à ce que l'on croit, les lectures peuvent faciliter cette découverte de l'autre. Même et surtout en lisant en apparence tout et n'importe quoi comme moi, la lecture élargit l'horizon plus qu'autre chose ; certes, suivre un coaching permettant d'aller dans une discothèque paraît infiniment plus efficace en termes de socialisation que de lire un livre poussiéreux d'un auteur oublié. Mais le second agit sur le plus long terme. Par exemple, vous ne commettrez pas d'impair majeur sur la capitale de tel pays ou sur l'usage de « Monsieur » par rapport à « Excellence », ni ne direz par exemple « mon colonel » lorsque vous devez dire « colonel ».

Les personnages de Jules Verne sont quasiment tous un peu fêlés. Certes, au bon sens du terme, pour la plupart au moins. Et Jules Verne avait un univers très particulier, obsédé par la science, un univers duquel le monde féminin est quasi totalement absent, si ce n'est à l'ultrapériphérie.

Cela ne fait pas de ses livres un outil parfaitement adapté pour les interactions sociales, du moins à première vue. Pourtant, ils représentent un atout central. Plusieurs m'ont marqué, je les ai lus et relus, en différentes langues ; je m'amusais de voir comment le traducteur avait plus ou moins contourné les obstacles, comment il avait essayé de restituer, dans un univers différent, des références culturelles évidentes dans sa langue d'origine.

Je ne peux pas dire que je les connaissais par cœur de la première à la dernière page, mais il y avait des passages entiers qui me venaient à l'esprit fréquemment. Pour moi, le *Voyage au centre de la Terre* était le voyage au centre des mots. Je m'interrogeais : pourquoi Jules Verne mettait un point à un moment donné, pourquoi un point-virgule à tel autre. Je pouvais passer des heures à tourner autour d'une phrase. Ai-je perdu mon temps ? Peut-être, d'autant plus que j'ai tout oublié de ces réflexions. Que celui qui a su mieux tirer profit de son âge enfantin me fasse part de sa manière de procéder. Rarement, et cela est fort heureux, les occupations de l'enfance ont une utilité au sens pour ainsi dire comptable. Même ce libertin, fort attaché aux charmes féminins, finit par regretter bruyamment de ne pas avoir suffisamment profité de son état de nourrisson. Les échecs et jeux forment l'être humain.

De Verne à Kafka

Dans ma vie, les deux seuls auteurs de fiction que j'aie plus ou moins réellement lus étaient Jules Verne et, plus tard, Kafka. Il y en eut d'autres, naturellement, mais je n'ai jamais consacré autant de temps à leur lecture, étant plutôt resté à un niveau d'échantillon par rapport à leur œuvre d'ensemble.

Jules Verne avait pour moi un attrait décisif : à la fois auteur de romans et auteur scientifique, sa seconde qualité me permettant d'accepter la première, puisque durant des années je ne perçus pas l'utilité de lire ce qui n'était pas vrai, à savoir la fiction. Jules Verne permet de voyager, d'avoir des chiffres, des faits, qui sont dans la plupart des cas exacts, avec en prime un talent absolument remarquable pour décrire les paysages, les lieux où parfois il n'était jamais allé, lui qui n'a que très peu voyagé dans sa vie.

Verne, en somme, a été l'auteur qui a accompagné mon enfance, dans l'apprentissage de la lecture au-delà des babillages, dans l'apprentissage du français, et dans celui des codes, certes un peu raides − siècle de l'auteur exige −, mais néanmoins pleinement sociaux.

Ma rencontre avec Kafka date d'une douzaine d'années. À l'époque, c'était l'un des rares auteurs avec lesquels je me sentais en accord. En accord ne veut pas dire que je partageais telle ou telle opinion politique ou philosophique, au demeurant difficiles à trouver dans son œuvre. Mais le monde tel qu'il le décrit et tel qu'il le vit vibrait de la même manière que le mien. Kafka n'est pas un auteur dont on pourrait aimer un livre et ne pas aimer l'autre : malgré la grande hétérogénéité matérielle de son œuvre (papiers, manuscrits épars, etc.), tout se tient. Son allemand est très particulier, parfaitement clair, avec une grande perfection formelle.

J'ai commencé par *Le Château*. À la première lecture, je ne l'ai pas bien compris et il me semble qu'avec le recul je n'aurais pas dû commencer par cet ouvrage. J'ai été émerveillé, ensuite, par ses essais et nouvelles, écrits de circonstance comme on dit, expression que je prendrais au sens littéral : des écrits pour les circonstances qui étaient les miennes. *Ein Bericht für eine Akademie* m'a particulièrement marqué. Je ne pourrais donner le titre exact en français si ce n'est une traduction littérale et sans doute peu appropriée : « Rapport pour une académie ». Le récit est celui d'un singe qui se retrouve devant une académie et commence son discours par (je traduis librement) : « Hauts sires de l'Académie ! Vous m'avez fait l'honneur de me demander un rapport sur ma vie de singe... » Un peu plus tard, *Blumfeld, ein älterer Junggeselle* (« Blumfeld, un célibataire sur le retour ») m'a passionné et je l'ai lu en boucle pendant des mois. Le récit se noue autour d'un phénomène : deux balles rebondissent dans la chambre de Blumfeld, le héros. Élément étonnant, mais qui, comme les autres choses bizarres dans l'univers de Kafka, ne suscite pas de surprise particulière. Elles sont un paramètre à prendre en compte en plus, c'est tout. Le plus anormal, en somme, ne sont pas les balles qui rebondissent, mais tout le reste de la vie. J'ai lu *La Métamorphose* assez tardivement. Pourtant, j'aurais pu commencer par ce texte, tant le récit évoque ce qui était ou allait devenir ma situation. Enfin, avec Kafka, j'ai découvert un monde qui m'était familier, mais que je ne connaissais pas, celui de la vieille Europe centrale, disparue à jamais.

Premiers pas en langues

Assurément, un intérêt pour les langues est peut-être la dernière chose à laquelle on s'attendait de ma part. Je n'ai d'ailleurs jamais pu comprendre les ouvrages de théoriciens de la langue. On m'a dit que je n'étais pas le seul – maigre consolation. Ai-je une compétence pour ainsi dire de multilinguisme par effet du cadre naturel, un peu comme les heureux habitants de Tunis, Luxembourg, Tallinn et autres Samarkand, qui, même sans la moindre appétence particulière pour les langues, en parlent plusieurs sans même s'en rendre compte ? Une compétence à visée pratique, à savoir pour décoder textes et manuscrits relatifs à ce qui est censé être mon domaine de spécialité ? Une compétence de linguiste-autiste, expert des conjugaisons de l'optatif duel des parlers archaïques des hautes vallées de la Poldévie orientale ? En somme, les langues ne me servent à rien de précis. Dans le cas inverse, je m'en serais sans doute vite lassé.

L'histoire est assez longue. La langue qui incarne le fil conducteur et reste pour moi une référence mentale, c'est l'allemand. Première langue étrangère apprise, après ma langue maternelle, le tchèque, et le français à l'école, mais jamais de manière méthodique. L'allemand fut la première altérité linguistique à laquelle j'aie été confronté et dans laquelle j'aie été immergé. Peut-être que l'apprentissage des langues, à un moment ou à un autre, inconsciemment peut-être, me renverra à l'allemand ou à des situations que j'ai vécues en lien avec l'allemand.

Je ne sais pas, de fait, quand et comment j'ai appris cette langue : à l'école, sans doute, mais j'ignore pourquoi ; j'étais un peu en avance sur le programme et donc ne tenais pas ma connaissance de ce dernier ; durant les longues vacances en Suisse peut-être, bien que je n'y aie interagi avec qui que ce soit dans cette langue ni même une autre d'ailleurs ; en Allemagne plus tard, mais cela n'explique pas tout.

À l'école, j'ai eu la chance de commencer tôt son apprentissage, au primaire. Je me souviendrai toujours du jour où la prof est venue, bouleversée, disant et répétant à des enfants qui n'y comprenaient sans doute rien que le mur était tombé la nuit précédente. À l'époque, un début précoce en langues n'était pas tellement courant en France. Hélas. En allemand, je regardais à la fin des manuels de classe où les textes deviennent un peu plus longs, et prenais plaisir à les lire, chose pour laquelle je n'avais que peu d'appétence dans d'autres matières. Je devais donc avoir des notions de la langue à six ou sept ans. Avant tout, je crois avoir une certaine représentation mentale de la langue, un fonctionnement mieux en accord avec celui que l'allemand présuppose, dans son rapport à l'espace par exemple, ou encore sa syntaxe.

L'allemand a également des facettes que je ne soupçonnais pas. Enfant et adolescent, je ne savais pas que, en fait, c'était une langue épurée, pour ne pas dire artificielle, que, en fin de compte, presque personne ne parlait. D'où la fameuse blague sur la manière dont on reconnaît les étrangers en Allemagne : ils sont les seuls à parfaitement bien parler la langue. De mes différents enseignants à l'université allemande, je crois qu'un seul faisait l'effort de parler correctement, un distingué professeur, comte de son état ; il parlait lentement, ne s'embrouillait que rarement, et c'était un délice d'attendre l'instant où, à l'approche du point final, les verbes accumulés allaient se loger, impeccablement conjugués, au bon endroit, un peu comme quand, à l'issue d'une longue série de formules, le matheux enclenche des mécanismes qui par miracle, soudain, donnent le résultat parfait. Un autre professeur, français cette fois, spécialiste du sacré, avait évoqué un phénomène intrigant, que j'avais déjà observé étant enfant : pourquoi la liturgie sacrée en allemand, c'est-à-dire dans un allemand non seulement extrêmement formel mais légèrement archaïsant, avait un tel effet émotionnel, contrairement à la même liturgie en français ? Mystère. Peut-être que sans la complexité hors du commun de la syntaxe et de la grammaire sanskrites, cette langue non plus n'aurait pu devenir langue sacrée pour des millénaires. Je ne sais.

L'autre facette de l'allemand que je n'allais découvrir que plus tard est son aspect historique. Réduire l'allemand à l'Allemagne, c'est faire une erreur grossière. L'Allemagne en tant que pays constitué aujourd'hui n'a qu'un rapport ténu avec la culture de langue allemande. Rarement j'ai ressenti une telle émotion en lisant certains vieux textes d'une Europe centrale disparue, où l'allemand était ce qui donnait être à toute vie de l'esprit. La même que quand, un soir, j'arrivai après un long voyage à la Piata Tranda-firilor, la place historique de Targu Mures, en Transylvanie, pour y découvrir, malgré les noires décennies d'une histoire terrible, les traces d'un passé perdu où magyar et allemand étaient des biens partagés.

Diversifications

L'anglais est arrivé beaucoup plus tard. Je n'ai commencé à suivre des cours qu'en quatrième, une heure ou deux à peine par semaine. Au collège comme au lycée, je n'attachais guère d'importance à cette langue.

Mon apprentissage effectif est venu d'un phénomène marginal : mes parents avaient acheté un premier ordinateur, d'une marque assez inhabituelle, et dont les manuels étaient en anglais. Je commençais à les lire, avec sans doute une compréhension assez difficile au début.

La particularité de l'anglais est que beaucoup de ses mots sont apparentés au français ou à l'allemand : même sans avoir suivi des cours sérieux, et si on connaît l'allemand et le français, on peut se faire une petite idée de ce que dit un texte, surtout quand il est technique.

Par la suite, j'ai eu ma période grec ancien. Je ne suis pas allé très loin, mais j'ai passé un ou deux étés à ne faire quasiment que cela. Hélas, je n'ai jamais su mener cet effort à quelque chose de constructif. Un jour peut-être suivrai-je un cursus plus sérieux. Peut-être suis-je quelqu'un de profondément pervers, au sens premier du terme, car ce n'est pas tellement le grec ancien qui m'attirerait aujourd'hui, mais plutôt le grec byzantin, cet entre-deux assez captivant.

Le grec me semblait nettement plus attirant que le latin, qui n'a jamais eu ma sympathie, sauf, beaucoup plus tardivement, celui de la fin du Moyen Âge, qui a un côté plaisant, toujours en lien avec mes obsessions autour des livres comme *La Nef des fous* – peu importe que ces ouvrages du Moyen Âge tardif ou de la Renaissance soient dans leur original en latin ou une autre langue, ils ont un cachet très particulier que j'assimile à un type de latin. Il est de ces différents textes assez extraordinaires où le latin est un peu bizarroïde, mêlé à toutes sortes de langues, toujours entre le plus grand sérieux et la pantalonnade, le recul des siècles ayant au demeurant souvent inversé les deux. Sinon, le latin a quelque chose d'antipathique pour moi : j'ai l'impression d'être confronté à une plaque de marbre froid. La flamme ne prend pas. J'ai essayé, pourtant. Alors que je trouve la grammaire grecque attachante dans la sonorité, les manières d'écrire, et même les lettres ; il y a quelque chose de beaucoup plus chaleureux, de beaucoup plus riche aussi. Bien plus tardivement, j'ai rencontré des gens qui partageaient quelque peu ma vision des choses. Comme quoi, je ne suis pas le seul.

Inalco, ou la maison des langues

Ensuite, il y eut un creux avec toutes mes histoires de médocs. Le train des neurones, version à peine modernisée de l'illustre *Nef*, avait déraillé ; il n'avançait ni ne reculait, mais s'embourbait. Et ce qui m'a en quelque sorte remis sur les rails fut une psychothérapie inhabituelle. Internet prenait à l'époque son essor en France et il y avait en particulier un site qui m'intriguait, un site tout à fait artisanal à l'époque : celui de l'Inalco, encore appelé « Langues O » – une appellation qui me gêne quelque peu, puisque pour une fois le sigle Inalco est plutôt agréable à l'oreille, et que « Langues O » fait appel à un « O » majuscule, un peu à l'image de certains patronymes gaéliques, alors même que ces langues sont, sans raison probante, exclues de l'Inalco. Quoi qu'il en soit, le site, peut-être justement du fait de ses défauts techniques et donc de son allure artisanale, me plaisait. Je m'y connectais souvent, lisais et relisais ses quelques textes, consultais la liste des langues proposées, et petit à petit l'idée avait germé dans ma tête de m'inscrire.

J'étais sûr, au bout d'un moment, que j'allais le faire, mais je ne savais pas pour quelle langue. Au tout début, peu confiant en moi, j'avais envisagé de demander une dispense pour rejoindre une année avancée de tchèque. Puis, je me dis que cela ne me permettrait pas de découvrir assez. Or j'avais besoin de découverte. Faute de pouvoir voyager – c'était un temps où traverser la rue était l'aventure de la semaine pour moi –, j'envisageais de voyager mentalement.

Le moment de la rentrée approchait, avec les fameuses inscriptions, et je m'étais dit : j'y vais ! En faisant le trajet en métro pour y aller, je ressassais les langues dont je m'étais fait une *short list.*

À l'époque, je prenais encore quelques comprimés et mes compétences sociales étaient limitées. En faisant le trajet en métro pour y aller, j'avais quatre langues en tête : l'arabe, l'hébreu, le chinois et le japonais. Une fois devant le bâtiment rue de Lille à Paris, stressé, tremblant, bafouillant, je prends ma place dans la longue file d'attente. À mon tour de passer devant l'étudiante qui distribuait les dossiers d'inscription.

Dès que j'ai eu le papier d'inscription, je me suis enfui. Pendant des heures, je suis resté bouleversé. Début, comme toujours, d'une nouvelle aventure.

Ami lecteur, je dois faire une confession. Qu'on le veuille ou non, la psychanalyse, autrement plus efficace que la CIA dans les filatures de paranoïaques, m'a à nouveau rattrapé. Au moins virtuellement. Ce que je n'allais apprendre que des années plus tard, c'est que, rue de Lille, où siégeait l'Inalco avant son déménagement, quasiment en face de l'entrée, se trouvait le fameux cabinet de Lacan. Il y a toujours la plaque – ou la planque, je ne sais plus trop. L'asile, cette fois polyglotte comme dans toute bonne schizophrénie, me guettait à son habitude. Ajoutez-y que quasiment la seule raison pour laquelle nous allions au siège de l'Inalco était pour payer chaque année les frais d'inscription ou de réinscription, avec l'argent la boucle est bouclée. Fin des bavardages linguistiques.

Depuis lors, jusqu'à ce jour, je suis resté à l'Inalco.

Arrivé à mon tout premier cours, je ne savais pas du tout à quoi m'attendre. Je m'étais simplement juré cette fois de faire mon possible pour être en contact avec tout le monde ou presque dans ma classe. Tout en admettant la possibilité de m'être lourdement trompé, que l'Inalco n'était pas pour moi, que je n'allais pouvoir y rester, que mes lubies étaient en vérité plus psychotiques que je ne l'admettais.

Le cours des choses fut tout autre. Un bon engrenage s'est mis en place. J'ai été fort bien accepté. Je ne m'attendais pas à cela. Les premiers cours, j'avais des lacunes évidentes, puisque mes camarades de classe – je peux enfin utiliser le terme au sens exact – avaient déjà des notions, sinon linguistiques, du moins culturelles. Mais, globalement, nous étions tous débutants, et cheminions ensemble vers de belles découvertes. C'était très intensif, au moins une bonne quinzaine d'heures de cours par semaine, et au moins autant d'heures d'exercices à la maison. Beaucoup de moments de bonheur, et le soir, en sortant du dernier cours, la sensation que les petits neurones se réarrangeaient.

Quelques années plus tard, j'ai commencé à essayer les matières optionnelles, généralement les plus intéressantes. À nouveau ce glissement vers la marge. Parmi les profs qui m'ont marqué, Daniel Bodi, spécialiste du Moyen-Orient ancien, et ce bien que je ne sois pas d'accord avec toutes ses thèses politiques et sanitaires, notamment quant au rôle du chocolat dans la prise de poids de fin d'année. Avec lui, l'ougaritique, le hittite et autre paléo-araméen ne sont jamais loin. Pour ne rien gâcher, il est également un fin lecteur d'ouvrages de psychologie. Plus tard, j'ai entendu diverses rumeurs de couloir, y compris dans des universités sur d'autres continents, sur sa bizarrerie ; j'y vois un compliment plus qu'autre chose. Ses cours ne servaient à rien d'évaluable, j'y allais donc passionnément.

Donc, peu à peu, l'appétit venant en mangeant, je commençais à picorer, à manger ailleurs. Et à l'Inalco, les tentations ne manquent pas. Ou plutôt, ne manquaient pas dans les anciens locaux, auxquels des décennies d'usage avaient donné un cachet assez particulier. Par exemple, en marchant dans les couloirs, on croise des étudiants parlant toutes sortes de langues. Quand on fouille les poubelles comme je le fais parfois sur le plan symbolique, il en est de même : à la photocopieuse, quelqu'un avait laissé un jour les premières pages d'un cours d'introduction au pachto, une langue parlée surtout en Afghanistan, un peu au Pakistan aussi. Plus tard, en allant à un cours sur les religions africaines dans un bâtiment où j'avais osé m'aventurer – et qui, réflexion faite, était peut-être celui dont l'ambiance était la plus chouette –, dans le couloir, parmi les emplois du temps affichés, j'avais vu celui d'amharique, l'une des langues modernes d'Éthiopie. Je sus tout de suite que j'allais un jour l'essayer. Un an et demi plus tard, c'était chose faite.

Plus tard encore – peut-être était-ce pathologique –, j'ai entamé le cursus d'azerbaïdjanais ainsi que celui de vieil éthiopien.

Je ne suis pas linguiste ; je n'ai jamais fait d'études linguistiques. Si je suis intéressé par les langues, c'est essentiellement pour pouvoir avoir accès à des documents anciens notamment du Moyen-Orient. Ce qui n'exclut pas certains petits écarts, ou certaines découvertes marginales comme le sanskrit classique. Je continue à l'étudier. Et j'ai pu rencontrer des profs hors du commun. Des spécialistes de grammaire sanskrite classique. Ce sont des expériences à vivre ! Mais malheureusement, ce sont les cursus les plus intéressants qui rassemblent le moins d'étudiants. Autant la licence d'anglais est bondée, autant les cours plus atypiques sont vides. Ce qui a ses avantages. On a des cours quasiment particuliers. Donc, je suis toujours éternel étudiant.

En tout cas, l'Inalco a eu des petits frères. L'un prit la forme du cursus de sanskrit à l'université Paris III, l'unique cursus constitué de France en la matière, que j'ai commencé à suivre. Un autre fut le cours de vieil éthiopien, ou guèze, à l'Université catholique de Paris. Et la liste pourrait être poursuivie ; d'ailleurs, je crois être mentalement incapable de me figurer, à un moment donné, la liste complète des cursus que je suis censé apprendre. Or, on en conviendra facilement, apprendre une langue, et même savoir hypothétiquement la parler, quand on n'est pas conscient qu'on l'apprend ou qu'on la connaît, n'est pas normal. La fameuse image classique du roi qui occupe sa fonction douze heures par jour, et dort le reste du temps en s'imaginant manœuvre, et ce dernier, qui s'épuise douze heures par jour à la tâche en dormant le reste du temps et se rêvant roi, pourrait être reformulée : l'étudiant qui apprend un peu de tout en ne sachant pas qu'il fait, et l'être serein qui ne fait rien... chacun complétera. Si l'inaction du second peut paraître blâmable, l'activité du premier peut l'amener à son lieu naturel, à savoir le maintes fois abordé asile.

Retour à l'exclusion ?

Les contes de fées se terminent par une formule usée censée exhaler le bonheur. Sa critique, fort répandue, ne doit pas faire oublier la nécessité de faire, certes de diverses manières, de même. Il en va de la survie du récit. Malgré quelques contre-exemples, une histoire de la Belle au bois dormant qui, à la fin, échouerait à trouver son prince, n'intéresserait guère. Pour moi donc, évoquer un potentiel retour à l'exclusion n'est donc pas chose bienvenue. Peut-être que ce dernier reflète avant tout de sombres pressentiments personnels, aussi tentants qu'irrationnels. D'un autre côté, quel autre débouché final espérer à ma toxicomanie ? En faisant abstraction de la grande question de la réalité générale du processus, deux mécanismes me semblent devoir être évoqués. L'un manifeste, l'autre plus discret, mais plus vicieux.

Le plus évident est ma difficulté, plus forte qu'avant, à pouvoir me définir. On affirmera que ceci est chose positive. Sur le plan littéraire, peut-être. Néanmoins, je suis bien pris au dépourvu chaque fois que je dois répondre à cette question, pourtant innocente, routinière et même amicale, de ce que « je fais dans la vie ». Je peux faire appel à une forme d'humour, détourner la question. Face à la même question toutefois posée avec sa froide assurance par un formulaire officiel, l'attitude à adopter ne va pas de soi. Ou du moins je n'ai pas réussi à dépasser ce blocage. Quand on me demande de répondre honnêtement à cette question dans un contexte officiel, où une seule réponse est admise – alors que bon nombre de réponses possibles me viennent à l'esprit –, je ne peux que me sentir en fraude.

Il n'y a pas que les cas très formels des documents à remplir. Reprenons le cas des langues. À quoi un tel apprentissage me mène-t-il ? Je suis incapable de donner une explication cohérente autre que purement autobiographique à la liste des langues que j'ai étudiées à un moment donné. De plus en plus, d'ailleurs, je la dissimule. Il y a quelques jours encore, lors d'un cours d'ouverture, un professeur demanda qui connaissait des langues d'ici, à savoir d'Asie centrale. Mon tour venu, je dis un nom de langue. À la fin du cours, usages culturels obligent, je discutai avec ce prof et il finit par comprendre que j'en connaissais d'autres. Je citai encore quelques noms de langues. Il me lança, fort étonné : « Mais pourquoi ne pas l'avoir dit ? Ce n'est pas honteux… » Je ne savais que répondre. Il revint, comme prévu, à la charge quelques instants plus tard, en me demandant pourquoi j'avais voulu apprendre ces langues. À nouveau, gêne de ma part. Et encore, j'avais malgré tout respecté en partie mon principe de précaution en ne débitant pas toute la liste.

Une autre situation analogue, où le potentiel menaçant de l'apprentissage se manifeste, tient à ma thèse. Si mes années de doctorat avaient commencé, aux problèmes médicamenteux près, par une approche relativement classique d'un point de vue disciplinaire, mes dégustations linguistiques ont promptement nourri ma thèse. Lui ont fait prendre des tournants imprévus. M'ont donné à maintes reprises l'impression ou l'illusion d'avoir compris des choses. Ont, d'après ses dires, parfois plu à mon directeur de thèse. Leur autre conséquence fut de saboter ma thèse en dernière instance. Je l'ai soutenue en 2009. Je ne l'ai ni ouverte ni feuilletée depuis. J'ai encore moins entrepris des démarches pour la publier. Quelques personnes ont insisté pour que je leur en envoie le manuscrit par courrier électronique : je ne l'ai pas fait. Cela se traduit par des phénomènes curieux, à la fois intrigants et amusants : ainsi, je suis incapable de dire dans quelle discipline j'ai réellement fait ma thèse. J'avais été pendant ces années rattaché à un Centre d'études germaniques ; mais je ne suis pas germaniste au sens universitaire. Je ne connais rien à Goethe ou Schiller. Pressé par la nécessité, je dis parfois que je suis philosophe ; en matière de philosophie, je ne connais probablement bien que le néant. Le constat que l'on puisse obtenir un doctorat dans une discipline à laquelle on n'entend goutte peut être intéressant en termes de formation personnelle ; il peut également être un signe qui montre que la réalité est parfois plus folle que les délires des fous ; il est avant tout dévastateur pour la suite concrète des choses.

Question de discipline, mais également de simple titre. À ma thèse, il y a le titre officiel et le titre officieux. Le premier est tenu pour le plus sérieux, le plus « vrai ». Or, je dois confesser que la veille du jour où je devais apporter le document électronique pour impression des quelques exemplaires destinés au jury, j'ai pris conscience du fait que ma thèse n'avait ni sujet, ni titre. Dans un moment d'affolement neuronal, à une heure fort tardive de la nuit, j'ai dû inventer un titre ronflant. Je ne sais pas si les autres ont procédé de même en le dissimulant avec habileté, ou s'ils ont, eux, fait des recherches sérieuses et méthodiques. Quant au titre officieux (réel ?) évoqué il y a quelques lignes, je l'ignore ; d'ordinaire, j'en invente un, plus ou moins plausible, ayant une sorte de lien avec les vagues souvenirs qui me restent de ces années de thèse, quand quelqu'un me presse de questions.

À côté de ces questions d'indéfinition et d'inconnu par rapport aux nécessités sociales, je crois que mes tentatives d'apprentissage linguistique ont mis en œuvre un deuxième mécanisme d'exclusion, moins apparent. Je commence à croire que les frustrations et l'ignorance sont une composante essentielle et nécessaire de la vie humaine et sociale. Bien sûr, il y a des systèmes philosophiques qui disent ces choses. Les constater fut pour moi autrement plus fort. Le savoir est gênant. L'une de mes activités – je n'oserais pas dire passe-temps, plutôt obsession – est de comparer les articles de la presse parus dans différentes langues ; non seulement, au cours du processus, ils s'enrichissent parfois de données, mais surtout, des éléments leur sont ôtés, imperceptiblement, lors du travail journalistique de mise en forme. Autant d'omissions indispensables au bon fonctionnement de la culture d'accueil de l'article dans sa nouvelle version. Un mécanisme analogue est observable du côté des religions : telle phrase que les chrétiens attribuent à Jésus est attribuée ailleurs à Bouddha, à tel rabbin du Talmud, à un imam chez les chiites, que sais-je ? La chose qu'il ne faut en aucun cas faire, qui est, elle, curieusement partagée, est de faire ces constats. Dans le milieu universitaire, qui manie les mots « interdisciplinarité », « transversalité », « excellence internationale » – un peu comme on parlait de « paix » et de « socialisme » du temps de mes parents –, certaines comparaisons sont possibles : par exemple, on a fini par tolérer les études comparant la Bible à des documents du Moyen-Orient ancien. Mais creuser au-delà ou plus loin n'est pas permis. Vous passerez pour un charlot et vos crédits seront coupés. Dans la formation des hauts fonctionnaires à la française enfin, pour donner un troisième exemple, je me suis souvent interrogé non seulement sur ce qu'ils doivent savoir, et que vérifie supposément le rituel du concours, mais aussi sur ce qu'ils doivent impérativement ignorer. À cet égard, leurs lieux de formation remplissent une tâche en laquelle on peut, pour une fois, avoir pleinement confiance.

En somme, la toxicomanie, expérience peut-être trop forte, trop solitaire, nuit gravement à la socialisation. Foucault, dont les appels à trouver la drogue la plus saine – qui donne le plus de plaisir et le moins d'effets secondaires – feraient aujourd'hui scandale et le mèneraient devant juges et geôliers, a sans doute perçu que le problème essentiel de la toxicomanie n'était pas dans telle ou telle propriété chimique des molécules. Le toxicomane, pour être avec, doit faire semblant d'être sans.

Lorsque j'ai quitté mon désormais ancien directeur de thèse, après notre dernière entrevue, si j'ai été ému c'est que je crois avoir compris que le vieux monsieur que j'avais face à moi avait tenté une fois de plus, par des allusions discrètes, de me faire comprendre que, toute sa longue vie, il avait joué lui aussi.

6

Il n'est de richesses que d'hommes : des amis à l'emploi

Les centres d'intérêt d'un autiste sont-ils toujours « non fonctionnels », en d'autres termes ne débouchant sur rien, comme l'affirmait une conférencière ? Je l'ignore dans l'absolu. J'ai suivi un cheminement qui, peu à peu, dans une certaine mesure, m'a permis de corriger certaines de mes gaffes et de trouver des amis, puis un emploi.

Néanmoins, ce processus, comme chacun pourra s'en rendre compte, s'est fait en parallèle des voies habituelles, grâce à la bienveillance de certains et au hasard des rencontres. Un système de fonctionnement pour ainsi dire « à l'ancienne », où la connaissance directe des gens prime sur les rôles sociaux.

Discours de la méthode : de la gaffe à la baffe puis la contre-baffe

L'apprentissage social d'un jeune autiste ne se fait pas sans douleur. Il en est d'ailleurs de même pour tous les groupes sociaux un peu marginaux, comme les personnes immigrées ou handicapées en général. En clair, chaque fois que je faisais une gaffe sociale, et que celle-ci se transformait en baffe reçue, au sens à la fois abstrait et souvent très concret, j'identifiais les choses à retenir.

Un apprentissage après tout assez analogue à celui d'une langue étrangère, où vous apprenez les mots au fur et à mesure des coups ; vous n'avez pas forcément de planning, par exemple, aujourd'hui j'apprendrai le vocabulaire des produits d'entretien, et demain celui des animaux au zoo... Le déroulement est tout autre : ainsi, supposons que je sois dans la rue, que je me perde, et que je me rende compte que je ne sais pas comment demander où est mon hôtel. Lorsque, après une heure de vaines recherches et d'angoisse, je le retrouve enfin, il est probable que je me jetterai sur les manuels de langue et retiendrai, cette fois, la formule requise. En linguistique, sauf erreur de ma part, on parle de grammaire aléatoire.

Inutile d'ajouter que le contenu naturel de mes journées était riche en gaffes et baffes, donc en apprentissages potentiels. Avec le temps, j'ai également su comment en tirer profit : ainsi, autant mes gaffes d'élève dans les premières classes de primaire n'étaient généralement pas correctement réutilisées, autant je pense avoir appris peu à peu à le faire. Prenons un exemple, celui de l'une de mes dernières grosses gaffes avec les profs. C'était en français, en classe de seconde, la prof avait fait cours sur un texte donné, et quelques minutes avant la récré, elle nous avait demandé notre avis, ou notre commentaire, en omettant toutefois de préciser si ledit commentaire devait porter sur le texte étudié en classe ou sur sa méthode de travail ; ayant compris la seconde alternative, j'ai levé la main et dit spontanément, sans me sentir aucunement gêné, que la difficulté majeure était que son cours avait été mal organisé et peu structuré. La prof ne réagit pas. À la fin de l'heure, après que les autres élèves furent partis et que je me retrouvai seul avec elle – ranger mes affaires me prend plus de temps du fait de ma maladresse –, elle laissa libre cours à ses émotions et m'engueula comme il se doit. Alors j'ai compris qu'il ne fallait pas dire des choses de pareil acabit.

Cela m'inspire d'ailleurs une petite réflexion. Dans de pareilles circonstances, on dit parfois qu'il faut tourner sept fois sa langue dans sa bouche avant de parler, ou d'autres sentences analogues. Le sous-entendu étant que les mots blessants émanent d'un mouvement d'humeur qui peut être remis en perspective, dompté par la ratio-nalité si on le retarde quelque peu. Or, dans le cas des discours blessants des jeunes autistes, je ne crois pas qu'un tel délai soit une protection suffisante, puisque le locuteur n'a généralement ni intention ni conscience de blesser verbalement.

J'ai dû ensuite reconstituer la scène, imaginer ce qui s'était mal passé. Ce fut pour moi fort stressant, mais socialement salutaire. Ce qui avait dû être d'autant plus pénible pour la prof est que la phrase blessante, dite sur un ton parfaitement naturel, émanait du premier de la classe, assis au premier rang ; cela doit être pire que lorsque le cancre hurle des insultes du fond de la classe. Elle a dû être blessée. Ce sont des moments difficiles, mais grâce auxquels on apprend.

Parfois, on vit des situations plus complexes encore. La baffe sociale peut être plus fine, moins apparente, ou ne pas suivre directement la gaffe manifeste que l'on aurait commise juste auparavant. Exemple : une fois, en fin d'année, une camarade de classe de Sciences Po m'a demandé : « Josef, pourquoi tu ne regardes pas les filles ? » Je n'ai rien répondu, étant très mauvais dans les répliques spontanées à des situations imprévues. Tout l'art des hommes politiques est au contraire de savoir reprendre le fil, de rebondir. Mon petit job à la Mairie de Paris est ainsi l'apprentissage de beaucoup de choses.

L'étape suivante est donc, je le crois, de savoir passer de la gaffe faite suivie de la baffe reçue à la contre-baffe. Je suis sans doute nettement plus « musclé » pour réagir aujourd'hui que quand j'étais gamin. J'ai appris à administrer des contre-baffes, tout en demeurant loin d'égaler certains maîtres en la matière et la manière. Je suis un peu plus fort, voire assez mordant quand je réagis à l'écrit, quand je peux réfléchir à la meilleure stratégie. Je peux même être assez vache. En effet, j'ai tendance, lorsque j'observe les gens, à retenir quelles sont leurs manières, leurs attentes, leur point de vue. Et l'observation de ces détails donne des arguments que l'on garde généralement pour soi, mais que l'on peut aussi réutiliser au moment opportun.

Les amis, gaffe interdite

Nous en venons à un sujet majeur, mais un défi non moindre pour les personnes autistes : le fait de se trouver des amis. Je crois avoir, après de longues années d'échecs successifs, plutôt réussi sur ce point, quoique de manière peu orthodoxe, si j'ose dire.

À cet égard, pour moi, une date reste marquante : le 29 juin 2002, jour où j'ai reçu en même temps une réponse par email de deux personnes croisées sur un forum Internet (ils étaient alors naissants) et qui sont devenues des amis depuis lors.

Le forum en question était celui de Mensa France, une association dont je dirai quelques mots plus loin, et dont j'ai été membre pendant un an. Le forum de l'époque, j'ignore ce qu'il en est aujourd'hui, était fréquenté par des

gens qui pouvaient être intéressants d'après mes critères :
des gens un peu bizarres et avec lesquels on peut parler
de sujets techniques.

Ce qui était absolument nouveau et saisissant pour moi,
et l'est d'ailleurs resté pendant longtemps, ce qui m'épatait
chaque fois, était qu'ils me répondaient. J'étais beaucoup
plus habitué soit à une absence de réponse, soit à un
email d'insulte.

L'un d'eux se prénomme Loïc. Je l'appelle parfois mon
ami le linguiste. Car, linguiste, il l'est plus que quiconque.
À l'époque, il n'était pas encore docteur en linguistique,
et avait encore plus de difficultés sociales que maintenant. Sa principale qualité, dans les premiers temps de
nos échanges par email, était sa constance. Son aptitude
à poursuivre dans le temps des discussions sérieuses sur
ce qui l'intéressait. Cela m'a beaucoup facilité les choses,
notamment au début, quand j'étais un peu perdu, parce
que écrire un email est tout un art. Même, et surtout,
un email banal.

Loïc habite à la campagne, loin de Paris. Son seul
regret est de ne pas vivre dans un coin plus tranquille
encore. Je le vois d'ordinaire une fois par an, juste avant
Noël – mais du fait de mes propres voyages, cela fait
longtemps que je ne l'ai pas croisé.

Peut-être que l'on peut se demander comment moi,
qui ne suis pas linguiste, j'ai pu établir un contact suivi
avec un spécialiste. Deux points ont probablement facilité
les choses. Premièrement, le fait que les centres d'intérêt
au sein de la linguistique de Loïc soient assez fluctuants
et en tout cas très larges : un jour il apprend une langue, le suivant il passe à une autre, avant de revenir
à la première, etc. Deuxièmement, on peut légèrement
déraper sur un peu tout. On peut par exemple aborder
les aspects politiques puisque, pour lui, l'un des critères

majeurs d'évaluation des hommes politiques est leur position par rapport aux langues, leur aptitude à parler les langues étrangères, et leur volonté ou non de reconnaître d'autres langues que le français. Un point de vue original, mais qui, tout bien considéré, est pertinent en ce que l'observation historique montre que les dictatures en général sont hostiles à la diversité linguistique. Par exemple, le gouvernement de Vichy avait promptement interdit les conversations téléphoniques et communications dans les langues autres que le français et l'allemand (cette dernière langue pour des raisons évidentes, aucunement par volonté d'ouverture internationale). À l'inverse, je crois que l'exceptionnelle stabilité politique et le modèle de démocratie consensuelle de la Suisse sont en bonne partie liées à sa nature intrinsèquement polyglotte, préservée alors même que le reste de l'Europe a été ravagé je ne sais combien de fois par les régimes les plus fous, sanglants, barbares, bestiaux.

La deuxième personne qui ait accepté de correspondre avec moi s'appelle Florence. Au tout début, nous parlions des tests de QI. Elle aimait en passer, comme moi, pour se distraire ou pour le sport, sans regarder le score final. Puis le thème qui a occupé nos discussions pendant plusieurs années fut la schizophrénie. Indirectement, les diagnostics fluctuants de Florence m'ont beaucoup apporté, notamment sur l'aptitude à relativiser le verdict d'un psychiatre. Un autre sujet de nos discussions, notamment après les années 2005-2006, a été la carrière professionnelle. Florence, cadre sup, ayant en partie eu le même parcours scolaire que moi, m'a tout appris sur la façon dont fonctionnait une entreprise, ses pièges et ses codes.

Il est vrai que, plus tard, avec toutes les histoires de télé et médias par lesquelles j'ai dû passer et dont on reparlera, de vrais-faux amis sont venus en foule. Mais je n'ai quasiment jamais réussi à établir avec d'autres le même type de contact qu'avec mes deux amis « historiques ». Plusieurs facteurs ont sans doute contribué à cela : j'avais déjà ma dose de correspondance, et le fait que ces deux amis aient pris contact avec moi à l'époque où personne ne le voulait a indubitablement pesé lourd. Cela étant, j'ai pu rencontrer des personnes formidables, devenues de bons amis, tels Déborah, créatrice de mode et d'art, Sébastien, artiste lui aussi, mais humain avant tout, et tant d'autres.

Apprendre à écrire des emails m'a pris beaucoup de temps. J'avais un tel mal à trouver les mots justes. Mes deux interlocuteurs ne m'en ont pas tenu rigueur – était-ce par rigidité ? Ou au contraire du fait de leur faculté d'adaptation ? Il est intéressant de voir à quel point l'être humain est complexe. Le fait qu'ils m'écrivent régulièrement peut être vécu comme une rigidité intellectuelle de leur part, ou de ma part aussi ; tout comme cela peut être perçu comme un signe d'adaptation, de souplesse. Les catégories psychiatriques sont fort limitées.

D'ordinaire, quand on entre en contact avec des gens « normaux », ils se lassent assez rapidement, ou ils ont certaines attentes qui sont nécessairement plus ou moins déçues. Ou alors au début ils s'enflamment et six mois après on voit qu'ils ont complètement changé. Comme quoi, fréquenter les non-normaux a du bon...

Se protéger

Je crois, et l'expérience des années où j'ai été médiatiquement très exposé me l'a prouvé jusqu'à la caricature, que l'apprentissage des contacts sociaux devrait comporter un apprentissage des moyens de se défendre. Le danger additionnel pour les personnes autistes, en plus de leur maladresse et de leur vulnérabilité, est leur propension à considérer, après des années de rejet et de solitude, chaque contact comme une faveur exceptionnelle, qui dès lors ne saurait être questionnée.

Maintenant, je commence à être un peu rodé. Quand je suis avec quelqu'un, ou quand quelqu'un m'écrit, je m'efforce d'analyser ses tournures de phrase, et j'essaie de cerner son profil psychologique. J'y réussis plus ou moins, mais je pense que je m'améliore petit à petit dans l'exercice. Ce qui me flatte beaucoup, c'est quand je suis en contact avec des psys et qu'ils me disent que parfois les profils psychologiques que je fais des gens sont assez corrects.

Il faut apprendre à se représenter mentalement les problèmes sur lesquels le contact butera probablement. Avec un peu d'expérience, en ayant dans ma base de données certains profils types de gens, je pense pouvoir le pressentir dans un bon nombre de cas.

Cette approche sécuritaire a deux effets pervers. D'une part, elle demande des efforts parfois excessifs de ma part, et donc réduit mon envie ou mon énergie d'entretenir le lien avec la personne en question. D'autre part, je suis sans doute beaucoup trop prudent. Oscar Wilde disait que la seule chose qu'on ne regrette jamais, ce sont les folies ; si l'on est trop rationnel et trop prudent avec les gens, cela ne peut pas marcher non plus. Je me sens parfois comme dans *L'Avare* de Molière. Pas forcément avare dans le sens où je ne donne pas d'argent, mais plutôt dans le sens où l'avare est quelqu'un qui réfléchit soigneusement avant d'entreprendre la moindre activité. Et je crois avoir ce type de comportement, qui nécessairement pose quelques problèmes. Il y a toute la question de ce qu'il faut confier à l'autre, lui dire ou ne pas lui dire. Vu que dans le passé j'ai dit des choses qu'il ne fallait pas dire, je suis poussé à la prudence. Je suppose que cela doit être quelque peu agaçant pour les autres, qui attendent un certain nombre de confidences. Cela fait partie du jeu humain. Par exemple, j'ai tendance à éviter, dans la mesure du possible, de donner les noms de mes autres amis ou contacts, ou de dire exactement ce que je fais.

En fin de compte, il est très difficile de savoir jusqu'où aller dans un sens ou dans l'autre. À une époque, on m'a accusé d'être un agent des services secrets. Je trouve cela assez amusant, ils ont probablement des collaborateurs autrement plus compétents socialement.

Solitude, foule et désert

Est-ce que je souffre de solitude ? Grand classique des questions de l'autisme. Je pense que, comme tout le monde, j'ai une certaine envie d'aller vers les autres, d'aller voir ce qu'ils font. Je parviens toutefois un peu mieux à gérer la solitude que la majorité des gens. Certains sont très solitaires par tempérament, sans être autistes.

Lors des périodes où la charge de boulot est très importante, j'aspirerais à passer une semaine par exemple sans le moindre contact avec quelqu'un. J'envie les personnes, autistes ou non, qui ont réussi à s'installer à la campagne. Le genre d'endroit où, quand une voiture passe − j'aime bien cette expression −, on en parle dans les journaux. Ici, en Asie centrale, les lieux qui stimulent le plus mon imaginaire sont ceux où il y a le moins de monde possible, les montagnes du désert par exemple.

Il est manifeste qu'il y a des choses qui me fascinent chez les gens et qui font que j'ai envie d'aller vers eux. Ce peut être des éléments qui ne sont pas forcément les mêmes que pour d'autres personnes. Je trouve par exemple assez amusant que les gens s'attachent à des caractéristiques transitoires. Que par exemple tel homme recherche les blondes et non les brunes, ou l'inverse, alors que tout cela est tellement mobile et menteur. La blonde peut, et en France c'est d'ailleurs le cas de figure le plus fréquent, ne pas être blonde en vérité. Et la nature humaine fait que la jeune blonde svelte, dans quelques années, ne sera plus ni blonde, ni jeune, ni svelte. Il y a d'autres traits qui ne sont même pas vérifiables, et qui pourtant sont déterminants. À l'époque où j'avais vaguement travaillé pour des magazines féminins, j'étais fort intrigué par les critères exposés dans le courrier des lectrices : chaque fois ou presque, l'être décrit était présenté comme quelqu'un de super, très drôle, très intelligent. Mais dans quelle mesure cela reflète une nature de l'autre ou une simple projection sur l'autre ? D'un autre côté, et c'est mon tour d'être pris par défaut, on peut supposer qu'une telle projection, si elle se maintient dans la durée, si elle est bilatérale, peut effectivement rendre la relation réussie, quand bien même elle serait sur des fondements faussés.

Le fondement faussé et ses interrogations liées sont un peu ce que j'appellerais la problématique du maquillage. En quoi, et c'est resté un peu une énigme pour moi, les gens quand ils se maquillent se croient beaux ou belles ? Maquillage ou pas, en fait rien de change. Des gens m'ont proposé de faire du shopping pour me « relooker ». Cela me paraît étonnant dans le principe. Mais le monde fonctionne ainsi. Mon activité de sabotage consiste donc à porter des vêtements toujours analogues, peu adaptés à la situation. C'est à la fois une question d'habitude, parce que je suis habitué à être comme cela, et une sorte de muette protestation.

Hodja Nasreddin, figure légendaire de l'Asie musulmane – qui aurait vécu à Boukhara, non loin de Samarkande où j'écris ces lignes –, raconte qu'un jour il était invité à dîner chez un notable. Venu à la hâte, il portait encore ses vêtements sales quand il se présenta à la porte. On le chasse, en criant que les mendiants ne sont pas les bienvenus. Alors, il enfile de précieux vêtements, frappe à la porte à nouveau, est accueilli avec mille égards. Assis à la table du prince, il verse de la soupe dans une poche de sa robe, met des morceaux de viande dans son turban. Stupéfaits, ses hôtes lui demandent une explication. Hodja Nasreddin réplique alors qu'il nourrit ses vêtements, car au vu de la différence de traitement entre sa première et sa seconde arrivée, ce sont eux qui sont véritablement l'objet de l'hospitalité. Le lecteur aura sans doute connu des histoires similaires venues par exemple de la Grèce antique. Il s'agit peut-être d'un conte qui traverse les cultures et les peuples. Tout comme ce qu'il dénonce demeure vrai, hier comme aujourd'hui.

L'art de la contre-baffe : le chômage et mon tout premier job

La question de l'emploi des autistes est fort peu abordée. Dans l'emploi des personnes handicapées en général, on affirme souvent que le frein majeur à leur inclusion professionnelle est leur manque de qualification. Dans le cas de l'autisme, cet argument ne tient pas – d'ailleurs, dans le cas de l'emploi des personnes handicapées en général, je crois qu'il relève avant tout du prétexte.

Je pense que si je devais chercher un emploi par la voie ordinaire, je ne trouverais jamais. Malgré la longueur de mon CV, ou à cause d'elle. En dépit de mes apprentissages, sur le plan des compétences évaluées lors des entretiens d'embauche, je n'ai toujours pas les aptitudes qu'un débutant trouverait naturelles. Autant je peux baratiner sur des sujets plutôt abstraits, autant me vendre moi-même est autrement plus ardu. J'ai ainsi non seulement échoué à tous mes entretiens d'embauche sans exception, mais en plus j'ai été victime de diverses mauvaises pratiques : traductions jamais rémunérées, y compris pour de grands éditeurs, rejet et « silence radio » une fois que j'avais benoîtement fait ce qu'on me demandait de faire, etc. Lors d'un entretien, il y a en effet tout un rituel. Vous devez dire « bonjour » d'une certaine manière, serrer la main d'une certaine manière. Montrer que vous êtes la bonne personne qui convient pour le poste en question. Il ne faut pas vous sous-évaluer, ou vous dévaloriser. Il faut fixer la personne du regard. C'est tout un jeu de séduction qu'il faut mettre en place. Autrefois, j'avais tendance, par exemple, à regarder le sol, à être assis d'une manière crispée. Mon langage était beaucoup plus pédant qu'il ne l'est maintenant. La mélodie de ma voix était encore plus monotone qu'aujourd'hui. L'échec ne pouvait être qu'au rendez-vous. Comme me l'a dit le responsable d'une grande entreprise de publicité : si tous les candidats à un stage étaient comme vous, on ne prendrait pas de stagiaire.

Mais j'ai quand même réussi à avoir un tout premier job. C'était à l'automne 2003, à ma sortie de Sciences Po, une fenêtre de trois mois où les neuroleptiques m'endormaient beaucoup, mais où je pouvais encore, tant bien que mal, être fonctionnel. Et ce n'était pas un vrai travail, plutôt un stage non rémunéré.

J'avais envoyé mon CV à maintes reprises, croyant encore plus ou moins vaguement à la propagande officielle sur la facilité des diplômés de Sciences Po à trouver un emploi ; que des échecs. L'entreprise en question était différente. Elle m'a accepté sans entretien d'embauche. Une agence de rédaction pour des magazines féminins, à mi-chemin entre agence de presse et agence de pub.

Peut-être qu'en vérité on m'a pris pour rire. L'agence était en effet féminine de la patronne jusqu'à la jeune secrétaire. Et l'ambiance était étonnante. Lors de la première réunion de l'équipe à laquelle j'assistai, moment formel s'il en est, la patronne, lors du tour de table des choses à faire, s'était vantée de savoir jouir sept fois de suite, avant de se tourner vers moi et d'ajouter que je ne pouvais pas comprendre.

Ainsi je commençai à apprendre les ficelles du métier de rédacteur. Inutile de dire qu'il a fallu partir de zéro. Je ne connaissais rien de rien, je ne savais pas ce qu'était un jacuzzi… ce genre de chose indispensable pour tout rédacteur de magazine féminin. De même pour les marques de parfums ou les bons restaurants de Paris. Cela a précisément ajouté au défi de la découverte, malgré la difficulté des premiers pas. Pendant quelques semaines, j'ai été incapable de faire un boulot correct, mais petit à petit j'ai appris les éléments de langage, les bouts de phrases, la manière de les assembler, la manière de faire un article. Quand on ne sait pas ce qu'est un jacuzzi, comment décrire les hôtels de luxe en Thaïlande ? Pour moi, Spa était la ville de Belgique qui avait accueilli le haut quartier général allemand pendant la Première Guerre mondiale, tandis que, pour mes collègues, « spa » était tout à fait autre chose. J'avais également beaucoup de mal à comprendre pourquoi les gens aiment passer leur temps dans des établissements où on vous envoie de l'eau chaude sur vous. J'étais bluffé par les conversations de mes collègues : elles parlaient acteurs, maquillage. Des choses nouvelles que j'écoutais au début avec un mélange d'émerveillement et de stupéfaction.

Finalement, mon passage par cette agence a été une expérience assez intéressante, quoique difficile. Elle montre que l'on peut avoir des activités dans des domaines insoupçonnables à première vue. Et que les autistes peuvent travailler plus ou moins partout.

Rendez-vous à la mairie

Des années difficiles ont passé. Quelques traductions et surtout beaucoup de semaines d'inaction plus tard, j'ai eu rendez-vous avec celui qui est maintenant l'un des adjoints au maire de Paris, et qui à l'époque était conseiller technique du maire au handicap, Hamou Bouakkaz. Nous devions avoir un entretien associatif, fin 2006, sur l'autisme.

L'entretien a finalement surtout porté sur moi. À la fin, Hamou m'a dit : « Je te garde ! » Il avait commencé par me demander de rédiger des petites choses, au début très peu, une fois par mois environ. Quand il a vu que cela pouvait marcher, je suis devenu son assistant à l'Agefiph. L'Agefiph, Association de gestion de fonds pour l'insertion professionnelle des personnes handicapées, est un organisme parapublic que les entreprises connaissent bien, car elles doivent lui verser une certaine somme quand elles ne respectent pas les quotas d'embauche de personnes handicapées. Pendant deux ans et demi, j'ai été l'assistant de Hamou à l'Agefiph, dont il était l'un des administrateurs.

Ensuite, je suis devenu son assistant à la mairie. Je dois avouer que je ne sais pas trop quel est mon titre officiel ; de fait, cela n'a aucune importance. Mon poste a été dessiné sur mesure. Sans cela, j'aurais rapidement échoué. Concrètement, je fais essentiellement un travail de rédaction, parfois de conseil, de résumé des données. Il faut aussi faire des revues de presse spécialisées, et souvent mon patron me demande mon avis. Les thématiques les plus fréquentes sont le handicap, les exclus et défavorisés, et la vie associative à Paris. Il n'y a pas de règle stricte.

Parfois on me demande pourquoi je persévère à ce poste. Me voilà d'ailleurs, et de loin, le plus « ancien » dans l'équipe de mon patron. En termes purement financiers, je crois qu'avec le seul RMI ou RSA, je parviendrais à vivre, n'étant pas fort dépensier et n'ayant pas de loyer à payer. Je continue dans mon petit job parce que j'apprécie mon patron, qui est également devenu un ami. Quand on est comme lui aveugle de naissance, fils de parents kabyles analphabètes, on ne peut penser comme les autres hommes politiques. Et travailler avec un aveugle c'est bien, il ne critiquera ni ne moquera jamais votre tenue, ne vous reprochera pas un problème de cravate.

Mon petit travail m'offre quelques avantages. Premièrement, la souplesse des horaires. Je peux rédiger les textes à 1 heure du matin ou le dimanche. Je peux aller en cours quand je veux ou presque. Deuxièmement, mon patron a toujours veillé à ne pas dépasser mes limites de résistance. Il m'envoie mon travail par email plutôt que par téléphone. Troisièmement, le travail me permet de découvrir nombre de grands auteurs, de personnages historiques. À ce titre, j'aime bien écrire les discours d'inauguration ou de vœux. Une petite remarque amusante peut être faite. En général, les rédacteurs de la mairie ne savent écrire que des vœux franco-français, ceux de Noël par exemple, mais pas ceux de l'Aïd ou de Rosh Hachana, réservés à des personnes issues de la confession en question. Alors que la chose est si simple : il suffit de se documenter un peu avant d'écrire quelques lignes. C'est à ces moments-là que je me dis que quand on dit que les autistes sont psychorigides, on se trompe parfois lourdement !

L'une des curiosités de mon poste est que, à part mon patron et sa petite équipe, je ne connais personne à la mairie. Dans ma vie, j'ai dû voir en vrai Bertrand Delanoë dix secondes au total. Pendant longtemps, Hamou Bouakkaz voulait me faire plaisir en m'invitant à des réunions ou des cérémonies : événements associatifs, culturels, rencontres du gratin parisien dans les ambassades, mais il a bien vu que je n'y allais pas. Donc il a à peu près arrêté.

À la mairie, comme dans toute administration, il y a une hiérarchie non officielle des bureaux ; certains sont prestigieux, d'autres sont évités car ils sont dans une partie du bâtiment jugée moins valorisante parce qu'il n'y a pas de marbre dans le couloir par exemple, détail assez dément à mes yeux. J'ai donc obtenu un bureau dans un couloir qui n'est pas jugé prestigieux. À ceci près que ce bureau me va à merveille, bien mieux que les autres. Il n'y a pas un bruit. Presque personne n'y passe. Tandis que tous se massent dans les galeries bondées où il y a les statues... et les lieux mythiques comme la buvette, les petits salons et autres lieux de détente, que je serais incapable de situer sur un plan de la mairie, malgré mes années de présence là-bas. Je peux ainsi travailler tranquillement et discrètement.

Officiellement, je travaille exclusivement pour Hamou. Dans les faits, il arrive souvent qu'il me passe une commande et qu'ensuite il envoie le texte à l'un de ses collègues. Il est parfois savoureux de voir des hommes politiques reprendre mon discours, alors qu'ils ne me connaissent pas du tout. Nègre de nègre, voilà un métier d'avenir.

La rencontre avec Hamou et sa proposition d'embauche m'ont fait comprendre que je pouvais travailler, même si le travail que je fais est très particulier, et méditer sur l'emploi et le job-coaching des personnes autistes ou handicapées en général. Sur la nécessité de les former, non seulement à telle ou telle compétence sociale, mais aussi à la dureté de la vie professionnelle. Et surtout de les convaincre qu'ils peuvent apporter des choses à l'entreprise. Plus d'une fois, Hamou m'a surpris en me disant que tel ou tel texte que j'avais tapé était bon, alors que j'étais convaincu que c'était un infâme torchon.

Ce dernier point est essentiel. Je m'étais à peu près convaincu que je ne travaillerais jamais. La mauvaise image de soi des personnes autistes joue ici pleinement son rôle. Quelle différence avec les collaborateurs des grandes entreprises, qui souvent se croient quasiment tout-puissants...

Je me dois de raconter une petite histoire, fort évocatrice. Il y a quelques années, j'avais eu grâce à Hamou un petit job de consultant externe à l'Unesco. Concrètement, je rédigeais en français des synthèses de dossiers relatifs au patrimoine immatériel. À la satisfaction de la responsable là-bas. Celle-ci, il y a un an ou deux, m'a proposé de continuer, cette fois en écrivant les synthèses en anglais. Je lui ai répondu par email qu'écrire dans une langue qui n'est pas sa langue maternelle risquait de donner un mauvais style à mes phrases. Elle ne m'a plus jamais répondu. À l'heure actuelle, la tâche est probablement exercée par quelqu'un... qui écrit en anglais encore plus mal que moi.

Avenir et survivalisme

L'avenir est un gros point noir pour moi. J'ignore ce qui adviendra, non pas sur le long terme, car Keynes a fort bien montré que sur le long terme nous serons tous morts, mais sur le moyen terme. Ne faisant pas carrière, je dois me faire quelques soucis pour la suite. J'en suis fort conscient, et j'ai une peur panique des changements. À ceci près que ces inquiétudes ne mènent à rien de productif. On dit que le sentiment d'angoisse est une réaction – peu importe comment on l'appelle, psychologique ou biologique – pour donner un peu plus d'énergie à l'être humain en posture délicate, précisément pour s'en sortir. Dans mon cas particulier, cela n'aboutit à rien. La date limite de mon job, un an environ encore, approche. Et nul ne sait ce qui arrivera ensuite.

J'ai des amis avec autisme qui s'habituent à un mode de vie minimal. Aux États-Unis, on les appellerait des « survivalistes » : des gens qui se disent soit que la fin du monde est imminente, soit que le monde est mauvais, donc il faut s'habituer à vivre en forêt en mangeant des framboises. Il est vrai que j'ai parfois tendance à être séduit par ce type de démarche, pour apprendre à survivre. La littérature en sanskrit tourne souvent autour de ces thématiques : le renoncement, la vie ascétique, le départ dans la forêt, etc. J'ai un ami avec autisme apparenté fonctionnaire, donc un métier plutôt stable, qui a un appartement, mais qui vit à la rue depuis plus de deux ans, été comme hiver. Au début, il a fait cela entre autres comme une démarche de solidarité, aujourd'hui avec une conviction théorique et philosophique. Toute la question est : jusqu'à quel point faut-il vivre ce type d'expérience ?

La recherche (d'emploi)

Quand on me questionne, je réponds que mon souhait professionnel à long terme serait d'être enseignant-chercheur dans ma spécialité universitaire, à savoir les sciences religieuses. Je pense que je pourrais assurer des cours dans ce type de domaine, d'autant plus que j'ai une certaine connaissance de plusieurs univers culturels. Si je me forme encore pendant quelques années, j'arriverai à faire des choses à peu près correctes. Toute la difficulté consiste à passer les entretiens de sélection. En France, les opportunités sont fort rares, surtout dans ce domaine-là.

Je sais que le milieu de la recherche est dur, je sais que là aussi je me retrouve un peu exclu ; mais j'espère quand même finir par trouver un poste intéressant. En attendant, j'envisage de partir un an ou deux dans un autre pays pour faire des études dans une autre langue, une autre culture. Une des idées à laquelle je réfléchis est d'émigrer en Inde pour de vraies études de sanskrit. Ce n'est pas irréaliste ; le problème est ce qui arrivera à mon retour.

Je suis un peu comme le moineau qui picore un peu partout. J'ai picoré bon nombre de types de grains. Mais je ne suis qu'un moineau, pas un aigle prédateur. Le moi neau ne peut que rêvasser, admirer l'érudition d'un Mir cea Eliade ou d'autres. Regretter l'époque où les culture: gardaient en mémoire poésies et textes anciens. De quoi devenir promptement fossile de trilobite.

7

L'anomalie de la normalité, ou pourquoi (ne pas) être normal

Une petite anecdote pourra nous servir d'entrée en matière. J'aime beaucoup les matchs de foot. Certes, je n'y comprends rien ou presque, et mes seuls souvenirs de jeux de ballon à l'école tiennent en l'implacable écrasement de la balle humide sur mon visage. Les matchs n'en demeurent pas moins fort intéressants : observez les visages immobiles des gens, leur regard soudain devenu encore plus fuyant que le mien. Leurs gestes spasmodiques, dont aucune loi ne régit la régularité. Mieux, en écoutant le silence de ces soirs de match depuis le balcon, les hurlements rauques de bête fauve me font comprendre cette vérité rassurante : « Josef, tu n'es pas le plus fou du quartier... » Il me souvient également d'un de ces textes de dictée de l'école qui évoquait le cas d'un enfant qui ne percevait pas l'utilité de frapper une balle, et qui de ce fait était jugé par tous, camarades et narrateur, comme un enfant quelque peu demeuré. Une épithète dont je crois bien à présent, avec le cynisme des années et les échos des excès du monde du foot, qu'elle a sans doute un champ d'application plus étendu.

Devenir normal : faut-il signer
le pacte faustien ?

À une époque, j'éprouvais de l'intérêt pour l'histoire de Faust. Ou plutôt j'étais gêné par elle, par le nombre de ses variantes, ne parvenant pas à mettre la main dans la bibliothèque municipale sur le « vrai » texte qui m'aurait en quelque sorte libéré du flou multiforme de sa genèse. L'essentiel m'échappait : réécrite et reformulée par chacun, l'histoire s'adaptait aux enjeux de chaque période. Le drame central, celui de la nature du sujet principal, de sa comparaison avec les autres d'où peut naître sa normalité ou anormalité, de la possibilité de l'impact du premier sur celles-ci, reste présent dans chacune des versions de Faust. Comme ce mathématicien qui, face à une équation particulièrement ardue, la reformule de mille manières, ne sachant pas sous quelle forme elle donnerait être à une solution.

Supposons donc que Faust ait à décrire précisément dans son contrat les transformations que Méphisto mettra (ou non) en œuvre. Une certaine illusion peut naître de la lecture des savants traités sur l'autisme : la parfaite description de ses traits qui y figure fait souvent croire que leur négatif serait en quelque sorte l'objectif à atteindre et la voie de la normalité : ainsi, qui a un manque d'aptitudes sociales doit en acquérir davantage. Exemple simple à première vue ; et pourtant. L'être humain, comme toute structure complexe, est un équilibre fragile entre d'innombrables paramètres. Quelle main peut se savoir assez habile pour les modifier ? La chirurgie esthétique s'y essaie ; malgré les sommes investies dans la recherche, en dépit de la compétence des meilleurs praticiens, dès lors qu'elle retouche un peu trop les visages, ceux-ci deviennent inhumains. Il n'y a pas de bricolage à volonté. La sourde conscience de cela a sans doute fait naître tous ces récits, du Golem à Faust en passant par Frankenstein pour n'évoquer que les plus classiques, au sein desquels l'échec d'une excessive tentative de maîtrise de la nature sert de trame au désastre.

Revenons à notre exemple des compétences sociales. Supposons que l'on améliore les miennes. Sera-ce effectivement une victoire sur l'autisme ? Certaines personnes que j'ai pu croiser dans le petit monde de la politique ont des compétences sociales hors du commun. Certains sont pourtant, ou plutôt à cause de cela, des personnages infects. Leur visage ne reflète jamais leurs émotions, mais constitue une sorte d'artifice permanent pour désarçonner l'autre et profiter du moment opportun pour parvenir à leurs fins. Leur grande aisance à séduire, dont on pourrait se féliciter, se traduit par de nombreux abus, et la présence quantitativement très au-dessus de la moyenne de déviants sexuels à des postes élevés est rarement abordée. Si donc on augmente mes compétences sociales, sachant que j'ai déjà acquis un certain nombre de stratégies de compensation, je pourrais devenir diabolique. Ressembler à Fouché, avec qui je partage déjà le prénom, ou à Donald Trump, est-ce réellement un but enviable ? Un homme politique français de gauche m'a dit en privé, il y a déjà quelques années de cela, que si je n'étais pas autiste, je serais pire que Sarkozy, ce qui à ses yeux n'était sans doute pas un compliment ; j'ignore si cela est vrai, mais je peux me douter qu'un tel personnage ne serait plus moi-même.

Prenons un autre exemple, plus aisément évaluable à première vue : le QI. En supposant que le QI soit quelque chose de réel, ce qu'à mon avis il n'est pas, qu'il y ait vraiment un paramètre QI chez les gens, à quel niveau établir la normalité ? La moyenne est de 100, mais souvent on affirme qu'il vaut mieux avoir un score plus élevé. Faut-il viser les 130 ? 145 ? J'ai entendu dire que dans la famille des Kennedy, Rosemary, sœur de John, le futur président, avait des compétences intellectuelles jugées « inférieures » par rapport au reste de la famille qui, à en croire l'opinion répandue, était particulièrement favorisée par la nature. Anormale, Rosemary fut donc, pour son bien naturellement, lobotomisée, avec des conséquences désastreuses. Alors que, dans une autre famille, elle n'aurait pas paru anormale, n'aurait pas été « améliorée », et donc aurait vécu une vie bien plus épanouissante. Mieux : plus on monte haut dans les scores, réels mais surtout supposés, de QI, plus on frôle une forme de démence. Côtoyer des gens qui affirment avoir des QI stratosphériques, au-delà de toute valeur humaine, est une expérience. Leurs croyances sont souvent celles de gamins, leur comportement, affreusement banal, devient loufoque du fait de leurs tentatives de se distinguer de la masse. Bref, comme le dit un de mes amis, l'intelligence pourrait bien être circulaire : une fois que l'on monte trop haut dans les scores réels ou supposés, le mouvement ascendant fait retour à son origine.

Un autre facteur à prendre en compte est la variabilité des paramètres de la vie. L'agressivité, par exemple, fluctue d'heure en heure chez chacun, bien que naturellement beaucoup de gens aient une sorte de référentiel plus stable. Quelle est donc la bonne valeur ? Il ne s'agit pas d'une question abstraite, ne serait-ce qu'à cause du fait que bien des prises en charge en psychiatrie sont motivées par des considérations liées à l'agressivité. Non seulement le niveau d'agressivité moyen de chacun est différent, mais l'ampleur et les motifs des fluctuations varient, sans même évoquer les modalités par lesquelles elle se manifeste. Parmi les justifications de la lobotomie de Rosemary ont figuré ses réactions hostiles au programme de cours particulièrement intensif et rigoureux qui lui a été imposé. Je doute pourtant que les autres jeunes de la famille Kennedy aient accepté un tel programme sans protester. Peu importent les faits : quand quelque chose ne se déroule pas comme prévu avec une personne handicapée, c'est, non pas « sa faute », chose que l'on n'oserait dire entre pédagogues progressistes et humanistes, mais celle de son handicap, de sa maladie. Et doit à ce titre être éradiqué.

À l'hôpital psychiatrique par exemple, ou même dans un cadre psychiatrique en général, on peut assez facilement, dès lors que l'on accepte d'aller au-delà du discours lénifiant de la communication extérieure, constater que la plus grande partie des mesures de restriction ou de « soins » mises en œuvre suite à un comportement agressif du patient découlent d'un changement exogène, qui ne relève pas de sa marge d'action. À ceci près que ce comportement agressif induit devient la preuve apparemment irréfutable de la nécessité de poursuivre une procédure, et qui dans les premiers temps était en quête de légitimité. Pour le dire autrement, rien de plus évocateur à cet égard que la moue dépitée des agents de sécurité des magasins quand ils vous contrôlent à la sortie et qu'ils ne peuvent pas trouver dans votre sac d'objet volé. Ou pour prendre l'exemple d'une amie avec autisme, qui a passé une bonne partie de sa vie dans les établissements psychiatriques, un de ses comportements violents envers le médecin qui l'avait enfermée dans un dortoir collectif avec d'anciennes délinquantes fort bruyantes et agressives a pendant longtemps servi de prétexte à l'y maintenir.

Pour revenir à l'agressivité, étant donné que le niveau de chacun fluctue en permanence, à quel niveau fixer les paramètres pour me rendre « normal » ? La question est insoluble. Quand bien même on aurait la molécule idoine.

Dans l'atelier de Méphisto : en quoi se transformer ?

Alors, est-ce que j'aimerais changer, devenir « normal » ? Il y a dans la mythologie grecque plusieurs cas où, par exemple, un homme veut devenir une femme, juste pour voir, et redevenir ce qu'il était, ou vice versa. Un thème assez populaire dans les mythologies en général. Moi, j'aimerais bien tester ce que signifie d'être japonais. Mais cette volonté est-elle éthiquement admissible ? Peut-on vouloir se modifier à volonté ? Est-ce humain, ou bien cela relève-t-il d'une forme de folie ?

Ce thème a beaucoup été exploré dans les écrits de la Renaissance, par Kafka, ou même par le cinéma à ses débuts. Il y a longtemps, pendant mon séjour en Allemagne, j'avais regardé quelques films parmi les tout premiers réalisés, dont le *Cabinet du docteur Caligari*. J'avais été impressionné par leur profondeur : les moyens, à l'époque, étant très limités ; avant de faire un film, les réalisateurs devaient avoir une conception profonde de ce qu'ils allaient dire et faire ; ils devaient compenser tous les problèmes techniques. Le résultat est assez bluffant. Les films en question débouchent immanquablement sur une impression de malaise innommable, une déstabilisation profonde. Tel était finalement peut-être le but du voyage : faire voir en quoi l'être normal est profondément anormal, en quoi la figure rassurante du docteur véhicule celle de la terreur, ou vice versa. Ce qui est dénoncé, ce sont ces résultats de l'excès, de la volonté de contrôler, d'acquérir le pouvoir de transformer et de se transformer.

Je peux avoir des envies immédiates de me transformer en tout et n'importe quoi. Il n'en demeure pas moins que, d'un point de vue éthique, cela n'est ni souhaitable ni admissible. Des évolutions ponctuelles sont envisageables, mais avec une grande prudence. Et encore.

Prenons un exemple, cette fois issu non pas de quelque ouvrage de fiction, mais d'une situation bien réelle. Je suis jeune, noir, américain, j'habite aux États-Unis. J'ai statistiquement plus de chances d'être en prison que d'avoir un emploi. Et je peux me faire tirer dessus à tout moment, les exemples dans l'actualité récente ne manquent pas. Inutile d'ajouter que ma situation est potentiellement problématique. Donc, avec l'aide d'un médecin fort puissant, mes futurs parents envisagent des pistes de transformation, rendus possibles par les progrès médicaux. On peut, premièrement, blanchir l'enfant, susciter des mutations génétiques pour qu'il soit « normal ». Ou alors, pourquoi pas, dans le cadre d'un programme national contre le racisme, déclencher des mutations génétiques sur la rétine des gens pour qu'ils ne voient pas la couleur noire de la peau. On peut imaginer, comme la France le pratique pour la trisomie 21, d'éliminer l'enfant à naître si sa peau s'annonce trop noire. Tout est possible en apparence.

Le plus délicat reste, non pas de bidouiller les choses, mais de faire évoluer les mentalités. J'ai toujours trouvé fort révélateur le fait que, quand on demande aux esprits éclairés d'anticiper les mutations du futur, ils parviennent avec une certaine fiabilité à prédire les évolutions techniques, mais se trompent lourdement quant aux évolutions sociales ou culturelles. Les grands esprits de 1900 avaient assez correctement entrevu l'apparition, au cours du siècle à venir, des avions, de la télévision, des moyens de transport et de communication. Mais ils avaient lamentablement échoué à prédire la quasi-disparition des servantes et serviteurs de maison, par exemple. Ou à pressentir que les jeunes filles de bonne famille pourraient à l'avenir faire autre chose de leurs journées que d'attendre, en robe d'apparat, derrière un piano, leur prince charmant. Nos technologies de mutation de la peau des Noirs ou de la cervelle des autistes, dans quelques années, paraîtront aberrantes, avec le complexe mélange émotionnel de naphtaline surannée et de barbarie choquante que l'on ressent quand on lit des textes sur les recherches de la psychiatrie ancienne.

On peut pousser l'ironie un peu plus loin. Dans les pays d'Europe de l'Est, il y a quelques années encore, quand un Noir arrivait, il était fêté comme une star. N'ayant jamais vu de Noir de leur vie, les gens le touchaient pour vérifier que sa peau était comme la leur, ou bien la grattaient pour voir si l'enduit supposé ne pouvait être enlevé. Alors que dans les années 1920-1930, quand des Noirs américains émigraient en URSS, attirés par la propagande qui présentait l'URSS comme un pays sans chômage ni racisme, ils ne savaient pas que le Guépéou ou le NKVD les attendaient à l'arrivée. C'est pour dire que le phénomène de rejet de l'autre est très fluctuant.

Rien ne dit que si, maintenant, des parents noirs réussissaient à avoir un enfant blanc par suite de telle ou telle manœuvre génétique, une fois devenu adulte l'enfant ne serait confronté à des phénomènes d'exclusion reposant sur des variables que les parents n'auraient jamais pu anticiper.

Voyage au pays des autistes et des normaux

Imaginons, pour faire dans l'ironie un peu mordante, que les autistes aient leur État. Dans cet État, nul système politique n'étant parfait, évolue une minorité de gens anormaux, appelés normaux ailleurs. La fable est la suivante : un jour, une nouvelle équipe dirigeante, pleine de compassion, entreprend des actions d'inclusion de cette minorité discriminée. Des programmes sont mis en place, à l'école notamment, pour rendre normaux, c'est-à-dire autistes, les enfants en question.

L'exemple n'est pas tellement irréaliste. Un enfant européen placé dans une école traditionnelle japonaise peut vivre une expérience assez proche. Tout un pan de la littérature, avec Gulliver, les *Lettres persanes*, et que sais-je d'autre, a pour mission de dénoncer par la satire les travers issus de l'incapacité d'une société à appréhender une altérité.

Je crains que la France, de par bon nombre d'éléments culturels, n'ait quelques difficultés supplémentaires en la matière. La normalité y est valorisée plus que tout. À l'école, quand on veut blâmer un enfant, on lui dit : « Ne fais pas l'intéressant ! » Alors que l'objectif de toute vie artistique, professionnelle, voire de toute vie humaine, est précisément d'être intéressant. En France, le sommet du succès d'un jeune est d'entrer à l'École normale supérieure et d'être agrégé, de rejoindre le troupeau, au sens étymologique. Ainsi, lorsque Derrida était adulé aux États-Unis comme philosophe très créatif, en France, son statut officiel était « répétiteur de philosophie ».

Traduire cela dans une autre langue produirait des réactions étranges sur les gens. En allemand, on pourrait utiliser le terme de « *Gleichschaltung* » pour « normalisation ». À ceci près que, pour n'importe quel Allemand, le terme est sinistre, car il a été utilisé pour désigner la mise au pas du pays après la victoire de Hitler en 1933. Ce qui est objectif suprême dans la culture française évoque ailleurs de fort mauvais souvenirs. Si je peux encore pousser un peu, en tchèque, le terme « *normalizace* », ou « normalisation », évoque là encore une période très particulière, à savoir la politique de répression qui a suivi le Printemps de Prague de 1968.

Il est bien entendu impossible d'évaluer clairement l'impact des réminiscences historiques et des spécificités culturelles. Il est néanmoins probable que, à mes yeux, la moindre valorisation de la standardisation à l'école en Amérique contribue à rendre possible le fait que l'autisme y soit mieux perçu. Voire devienne une sorte de qualité, un attribut enviable.

Comment se débarrasser des autistes et des autres

Mon ami Thomas Bourgeron, éminent généticien, est un habitué des conférences sur l'autisme et ses composantes génétiques ; j'ai eu la chance d'assister à plusieurs d'entre elles. Un invariant de ces conférences est que la première question à être posée par le public tient en la meilleure manière de détecter l'autisme d'un enfant à naître, et d'agir en conséquence. Ceci n'a pour le moment pas abouti, faute de tests fiables ; toutefois, pour la trisomie 21, la France a adopté, il y a un certain temps déjà, une politique qui se voulait être de pointe. Nous pouvons en dire quelques mots.

Le sujet est à peine discuté, sauf peut-être le 21 mars, journée de la trisomie 21, dans des publications marginales. Il est particulièrement intéressant de voir à quel point de plus en plus de professionnels du secteur remettent en cause la politique pratiquée jusqu'à maintenant qui, finalement, s'avère être un échec sur tous les plans. Un échec d'autant plus préoccupant qu'il est interdit d'en parler. Ce serait politiquement ou médicalement mal vu.

Pourtant, le bilan semble négatif sur toute la ligne. C'est un échec financier, parce que la campagne de détection systématique suivie d'avortements non moins systématiques coûte fort cher. Un échec technique, notamment au niveau des tests, ceux-ci n'étant pas du tout aussi fiables qu'on le croyait – et ce encore avec un handicap dont l'origine génétique, particulièrement claire, devrait être détectable sans la moindre difficulté. Un échec au niveau du succès des avortements, puisque pour un enfant potentiellement trisomique avorté, deux non trisomiques le sont également, par erreur ou effets secondaires des tests. Sans même évoquer l'échec humain, sous la forme de l'acharnement sur les parents qui pour une raison ou pour une autre refusent de se plier à l'injonction médicale. Tout est mis en œuvre pour faire croire que le test puis l'avortement sont une obligation légale, et les sanctions sociétales sont fortes pour les quelques rares récalcitrants. Il y a des médecins, par exemple, qui, ironie du sort, ont eu des enfants trisomiques et de ce fait ont été mis à l'écart de la communauté médicale.

Enfin, l'échec le plus patent se situe peut-être à un autre niveau. La France a complètement manqué le coche de la prise en compte, pour ne pas dire de la prise en charge, de la trisomie 21. Dans d'autres pays, aux États-Unis, en Europe, en Espagne, on a développé, au fur et à mesure que le temps passait, des techniques pour un peu mieux éduquer, ou intégrer, les personnes trisomiques. Maintenant, on a des cas de plus en plus fréquents de gens trisomiques 21 qui réussissent les tests psychométriques pour entrer à l'université américaine ; alors que beaucoup de gens, les gens les plus normaux, y échouent. Et on peut imaginer que prochainement, avec l'amélioration de toutes sortes de techniques, les choses évolueront encore. En témoigne cet Espagnol trisomique 21 qui avait démarré une carrière d'acteur, et qui maintenant a été embauché à un poste de responsabilité à la Commission européenne. En somme, la génétique, terme issu de la très vieille racine indo-européenne signifiant « naître », devient parfois une « thanatique », sapience ou pratique de la mort, non seulement pour les êtres directement concernés, mais pour les potentialités sociales en général.

La génétique sociale

Le pouvoir psychologique de la génétique me fascine. Ses racines sont profondes, dans la continuité historique du pouvoir magnétique du modèle des sciences dures sur les sciences de l'esprit (j'utilise le terme allemand, plutôt que le terme français « sciences sociales », qui est plus typé). Il ne s'agit pas de contester la véracité de quelque discipline que ce soit, simplement d'observer les effets induits. D'observer que, après les tentatives de la sociologie positive d'Auguste Comte, de l'économie scientifique, c'est-à-dire, croyait-on, marxiste, et autres psychologies naturalistes, la génétique peut paraître enfin en mesure de briser la séparation entre sciences de la nature et sciences de l'esprit, et d'introduire l'ordre des premières dans les secondes. Un facteur religieux joue peut-être également, quoiqu'il soit plus difficile à évaluer : comme l'a montré Hans Blumenberg, un étrange parallèle mental est inévitable dans les cultures où le texte biblique est fortement valorisé, par exemple aux États-Unis, centre vivant des études en génétique, entre le protestantisme et l'idée que le code ultime serait logé en nous, un code qu'il suffirait de lire et d'appliquer pour aboutir, merveille des merveilles, à la création. À l'inverse, les pays catholiques tendent à valoriser davantage la psychanalyse, bien que naturellement les choses évoluent.

Quel qu'en soit l'arrière-plan, la parole génétique acquiert un pouvoir social remarquable. Notre époque, même si elle ne se l'avoue guère, la valorise au-delà de tout. Prenons le cas du diabète. Ce dernier est issu d'une multiplicité de facteurs, biologiques, sociaux et idio-pathiques (ou indéfinissables). La découverte d'un gène lié au diabète fait sensation, l'équipe impliquée est forte-ment récompensée. Alors même que le taux d'explication du gène en question est relativement faible, notamment par rapport à des facteurs non génétiques, qui eux sont passés sous silence, tant dans la presse scientifique que non scientifique. Une recherche analogue sur je ne sais quel facteur lié par exemple au mode de vie n'aurait pas connu un tel succès d'estime, et de loin. Mieux encore : il n'y a pas si longtemps, les journaux avaient rapporté, enthousiastes, la découverte d'un gène de l'infidélité. Enfin, nous avions l'explication.

Naturellement, la recherche génétique dans l'autisme est plus sérieuse que dans l'exemple qui précède, encore que la méthodologie soit la même. Il n'en demeure pas moins que rares sont les gènes individuels qui ont un large pouvoir explicatif de l'autisme et vont au-delà d'un petit nombre de cas et de formes spécifiques d'autisme. Le professeur Thomas Bourgeron, en pointe sur ces ques-tions et recherches, et pour qui j'ai beaucoup d'estime et d'amitié, est d'ailleurs d'une modestie remarquable, que les moins experts et non experts sont hélas loin de partager.

La croyance béate dans le pouvoir de la génétique peut recevoir deux critiques additionnelles. D'une part, comme je m'efforcerai de le développer dans le chapitre suivant, je pense que l'autisme devrait faire l'objet d'une étude pragmatique, problème après problème. Dans une telle approche, les difficultés à trouver un emploi, par exemple, devraient être prises au sérieux en tant que telles, non en tant qu'épiphénomène d'un facteur génétique. Un lien causal que j'ai beaucoup de mal à qualifier autrement que hautement hypothétique, plus encore que le gène de l'infidélité par rapport à l'infidélité effective. D'autre part, la génétique, science jeune, se cherche encore. Ses praticiens sont d'ordinaire nettement moins dogmatiques que ses amateurs en herbe. Son histoire est plus complexe que ce que l'on croit : souvent, on pense que la science, portée par Darwin, Mendel et autres, se serait imposée face à la religion obscurantiste pour donner la génétique. Ceci est une simplification outrancière, tant ces auteurs ont travaillé séparément, parfois dans l'hostilité, et elle ignore les tâtonnements multiples de toutes ces disciplines. Une vérification simple permet de constater que fort peu de gens ont lu Darwin. La plupart sont même surpris que l'on envisage de leur proposer de lire un auteur qu'ils « connaissent ». Aujourd'hui, la génétique est, si j'ose dire, toujours en pleine mutation. Des pans entiers de la discipline émergent. Ce qui hier encore était remisé dans un coin sous le titre « empreinte parentale » est aujourd'hui une science à part entière, l'épigénétique. À ce titre, je dois remercier, là aussi, Jean Claude Ameisen, éminent scientifique et grand monsieur, pour son enseignement.

Pour moi, en tout cas, le moment le plus triste, le plus déprimant, serait celui où on réussirait à dresser un modèle systématique, qu'il soit génétique ou autre, de l'être humain. C'est également pour cela que je ne peux qu'être sceptique vis-à-vis de cet ouvrage que pourtant j'avais tant apprécié dans mon enfance, *L'Homme neuronal*, du professeur Changeux. C'est peut-être par un acte de foi, ou de mauvaise foi, que je pense que cette modélisation ultime n'arrivera pas de sitôt. Je ne peux le prouver, mais je suis prêt à parier une tablette de chocolat.

L'anormal et le rire

Je crois qu'il y a un lien profond entre la présence, au moins virtuelle, de l'anormal, le rire et l'identité personnelle ou de groupe. Les travaux de Bergson sur le rire, grossièrement simplifiés, montreraient qu'il se déclenche en cas de relâchement d'une contrainte sociale.

Je suis assez intrigué par le fait que chaque fois que l'on évoque la folie de manière tant soit peu plaisante, les gens commencent à rire, ou du moins se retiennent pour les plus sérieux, qui souhaitent préserver leur réputation d'humanistes incapables de rire du malheur supposé d'autrui. La présence du fou, ou de l'anormal, agit donc à deux niveaux : d'une part elle déclenche le rire, et d'autre part elle recrée un sentiment d'identité individuelle et de groupe.

Il est assez intéressant de comparer les anciennes affiches des cirques humains, où on vantait l'apparition au cours du spectacle de personnages tels que l'homme-tronc, la femme-girafe, le musicien sans bras, l'homme-éléphant, les frères siamois, et l'effet qu'elles induisent encore maintenant, à celui que produit l'intervention d'un autiste sur scène lors d'un colloque.

Cela étant, contrairement à mes illustres prédécesseurs et collègues humoristes des cirques humains, je ne peux faire tomber les masques, physiques ou scéniques, à la fin du numéro. Il s'agit de colloques, il faut faire semblant d'être sérieux jusqu'au bout. Assumer un rôle, sans même ces quelques secondes finales pour le rejeter et avoir droit à une reconnaissance de normalité, est redoutable.

Dans son film *Le Dictateur*, Chaplin tient des discours ridicules. Le plus inquiétant, ou le plus amusant du point de vue du spectateur, est que la foule le prenne au sérieux, alors que lui est obligé de jouer ce rôle. Le seul avantage de Chaplin est que tout le monde associe son nom à un humoriste. Si on avait renommé son personnage en « Sixte-Henri de Clausonne, professeur au Collège de France », il est fort possible que, même maintenant, les gens le prendraient très au sérieux et se vanteraient d'avoir compris son discours-charabia. Le canular Sokal l'a montré jusqu'à l'absurde. En est-il de même quand on présente un bouffon sous le titre d'ancien élève de Sciences Po et docteur en philosophie ? Je le crains. Nous en reparlerons.

L'anomalie, la maladie, le handicap et la folie

En bref, cette anomalie qui échappe un peu aux grilles, à l'image du Tao, comment la cerner malgré tout ? Je suis bien gêné. Je ne sais pas quel est le bon terme à utiliser, sous quelle rubrique il faudrait classer l'autisme.

Des autorités m'ont expliqué qu'il ne fallait pas utiliser le terme de « maladie », et je ne l'utilise pas en général. Ce mot heurte les sensibilités, suscite des réactions parfois violentes. Il repose aussi sur un postulat problématique, à savoir que l'autisme en tant que maladie serait une source de souffrance étrangère à l'être que le thérapeute éliminerait pour lui rendre sa plénitude. Cela étant, je dois reconnaître que, peut-être du fait des travers induits par mon éducation bilingue qui relativise le sens des mots, parler de maladie, si on s'entendait sur son sens, ne me gênerait pas en soi.

Un deuxième terme fréquent est celui de « handicap ». Je l'utilise souvent, et beaucoup m'ont incité à le faire. D'autres personnes, avec des arguments valables, m'ont montré en quoi il valait mieux l'éviter. Le terme de handicap a, à mes yeux, deux avantages : il permet d'une part d'évoluer au sein d'une galaxie de personnes ayant des profils après tout assez proches – l'autisme, la surdité et la cécité sont des choses fort distinctes, et pourtant, lors des réunions, autistes, sourds et aveugles gagnent à être assis à la même table, à profiter des outils techniques destinés à l'autre handicap, et à faire lien social malgré ou grâce à leur situation d'exclus relatifs. D'autre part, le handicap est peut-être l'unique biais par lequel l'Administration peut reconnaître l'autisme et appliquer des droits qui restent hélas trop souvent théoriques.

Cela étant, le handicap n'offre pas une grille de lecture parfaitement adaptée à l'autisme. En apparence, elle est une vision extrêmement humaniste : l'être humain, handicapé ou non, est identique en dignité. En ajoutant des outils de compensation, la personne handicapée peut acquérir la même valeur et la même efficacité que la personne non handicapée. En cela, rien de plus noble. Mais l'application est plus complexe dans le cas de l'autisme. Pour le dire avec une image : si un ordinateur est déficient, on peut le « mettre à niveau » en ajoutant des imprimantes, des périphériques sophistiqués, etc. Mais que faire si malgré tout il est dysfonctionnel ? Si l'ajout d'une, de deux, de trois imprimantes, d'une couverture de cuir sur l'unité centrale, ne font toujours pas tourner le microprocesseur comme la norme l'exige ? Dans le cas d'une personne avec autisme, supposons, rêvons, qu'une Maison départementale des personnes handicapées (MDPH) parfaite mette à disposition toutes sortes d'outils de compensation du handicap. Dans le cas d'un handicap moteur, on peut rendre accessible la voiture, aménager le bureau. Mais dans le cas d'un handicap mental, psychique, cognitif – on ne sait trop d'ailleurs quel terme utiliser –, que faire ? Il est très difficile de noter par écrit, de manière formelle, ce dont on a exactement besoin pour compenser un tel handicap, même avec de bonnes aptitudes de verbalisation. Supposons que je sois très mauvais entrepreneur : si je crée une entreprise, elle fera faillite. Donc, je demande une compensation à la MDPH. Mais à quel point puis-je faire cela ? Après tout, il y a beaucoup de mauvais entrepreneurs dans la société. Est-ce que cela veut dire que tous peuvent légitimement demander compensation ? Qu'est-ce qui relève exactement du handicap ? Et même, poussons l'analogie plus loin. Supposons que la MDPH m'offre une pleine compensation pour mes affaires ratées. Je pourrais dire que, virtuellement, j'aurais pu devenir un grand banquier, mais que du fait de l'autisme, cela n'a pas marché, et donc demander une compensation correspondante. Supposons qu'elle soit accordée. Compenserait-elle réellement mon handicap ? Non. J'aurais peut-être de l'argent sur mon compte, mais ma vie serait toujours la même, à savoir compliquée, avec la même difficulté à aller vers les gens, à faire ceci ou cela. Mais n'oublions pas que, naturellement, nulle MDPH n'est si conciliante.

Par moments, porté par une humeur railleuse, je songe au terme « folie » et le compare à l'autisme. Il y a bien sûr ce livre, *La Nef des fous*, qui a exercé une grande influence sur mon histoire personnelle. Un ouvrage que je persiste à voir comme extraordinaire de modernité, y compris dans les gravures de Dürer qui l'illustrent. Puis, les ouvrages de Foucault. En somme, à l'évocation de la folie, foule de bons souvenirs me viennent à l'esprit, là où le handicap ne m'évoque que la blouse blanche ou un formulaire à remplir.

Par ailleurs, toute la richesse d'un livre tel que *La Nef* tient en ce qu'il n'y a pas de définition très claire de la folie. Elle est une vision du monde. Dans *La Nef*, il y a des petits chapitres, des petites rubriques pour chaque type humain, pour finalement englober toute la population. Auteur compris, naturellement : Sébastien Brant commence d'ailleurs son ouvrage en grande pompe, se présentant comme docteur *in utroque* (c'est-à-dire dans les deux droits), pour finir, dans le dernier vers, par dire : parce que je suis le fou Sébastien Brant. Quel parcours de sagesse ! Le lire fut pendant un temps mon bonheur.

Si on prend un autre classique, l'*Éloge de la folie*, d'Érasme, là aussi il y a toutes sortes de niveaux de lecture, un style d'écriture propre à l'époque, où on pouvait enchaîner des références qui, en apparence, nous paraissent purement pédantes tant qu'on ne voit pas quel est le sens derrière. De fait, il n'est pas plus pédant en soi de citer un auteur classique que d'évoquer tel film qui passe au cinéma actuellement.

Ces livres de la Renaissance, pour beaucoup, évoquent des voyages intérieurs et extérieurs, la différence étant fort mince entre les deux. Tout un défilé des mondes, des modes, des êtres. Aujourd'hui, on n'écrit plus des livres similaires. Si l'on prend au hasard un ouvrage publié récemment sur ce qui pourrait être l'équivalent de la folie, sur le trouble du spectre autistique par exemple, que dire de la comparaison… Nous avons gagné sur le plan technique toutes sortes de classifications, mais que n'avons-nous pas hélas perdu en route ! En somme, être normal est bien triste. Je préfère la compagnie des fous. La Nef partie, étant resté à terre je ne peux que rêver de meilleurs rivages.

8

La vie associative, stade ultime de l'autisme ?

Bien que le constat ne soit pas dressé de manière aussi explicite, il est socialement admis que les membres, réels ou supposés, d'une minorité reconnue comme telle puissent faire usage d'un vocabulaire qui serait répréhensible dans la bouche de la population en général. Étrange phénomène, soit dit en passant, qui renvoie aux problématiques de la constitution de l'identité par la mise à l'écart. Je ne crois pas que ce « privilège de langue » soit particulièrement usité parmi ceux qui s'identifient à la communauté autistique, du moins en comparaison avec ce qui se pratique dans d'autres groupes. Toutefois, j'ai pu entendre un certain nombre de plaisanteries, certes non nécessairement des plus fines mais sans pour autant perdre de leur véracité eu égard au sujet traité, par exemple sur l'autisme et les hommes politiques. C'est à ce titre que je me permettrais de dire que plus d'un trait fâcheux attribué par les préjugés communs à l'autisme s'applique, en fait, au « petit monde de l'autisme » au sens où nous pourrons comprendre l'expression, à savoir tout ce qui gravite autour de l'autisme, en particulier en termes associatifs.

Reformulé autrement, quelqu'un m'avait dit que l'autisme en France était concerné par deux drames : celui de sa méconnaissance et celui de sa connaissance, le premier étant l'exclusion de la société non sensibilisée en général, le second regroupant moult travers des associations et mouvements spécialisés.

Toujours la même idée, dite de manière plus provocatrice : quel est l'endroit où on risque le moins de croiser des personnes autistes ? Dans les événements organisés autour de l'autisme. À moins que le terme « autiste » reçoive une définition différente, englobant désormais la quasi-totalité des présents.

Ultime façon de redire la mise en garde, un peu à la manière du message à l'entrée de l'enfer de Dante : une amie, jeune psychologue, avait opté comme lieu de son stage d'études pour une certaine association bien connue dans le domaine de l'autisme. Au bout de quelques mois, paniquée, elle me téléphona pour m'appeler au secours – une amusante inversion des rôles dont j'ai plus d'une fois été témoin. Psychodrames à répétition plus tard, elle constate aujourd'hui, avec le recul, qu'au fond ses vœux ont été exaucés : elle qui voulait un stage en psychopathologie a eu le nécessaire, et même plus. À ceci près que les aliénés n'étaient pas, au sein de l'association, ceux qu'on lui avait désignés de prime abord.

Vétérans et compagnons de route : un carnage

Chaque guerre a ses « gueules cassées ». La guéguerre de l'autisme a un *turn-over* inquiétant, mais qui, à ma connaissance, n'a jamais suscité d'interrogations en « haut lieu », si tant est qu'un semblable lieu existe. Le schéma est souvent le même : les médias, une association ou un groupe d'intérêts dénichent un jeune (il faut que ce soit un jeune, les adultes et personnes âgées avec autisme n'intéressant personne), le prennent au dépourvu dans tous les sens du terme, le poussent sur le devant de la scène. On parle beaucoup de lui, puis il disparaît. Nul ne se soucie de son devenir. Dans la plupart des cas, hélas, il ne veut plus avoir affaire avec l'autisme ou les associations. Inutile de donner de noms, tant il suffit de se remémorer les grands moments de l'autisme médiatique de ces dernières années voire décennies, et d'essayer de se demander où sont passées ces personnes. On pourrait les nommer les « gueules cassées ».

L'autre terme, moins déprimant peut-être, est « compagnon de route ». Un état d'esprit plus qu'un statut, duquel j'ai vaguement espéré une certaine solution aux troubles qui secouent le petit monde de l'autisme. La position d'un acteur qui demeure non institutionnalisé, non directement inclus dans le jeu des structures. Sans même faire cette ébauche de typologie, on peut constater qu'une telle approche est spontanément adoptée en France par la plupart des rares personnes autistes impliquées en tant que telles dans l'activité militante. Les adultes autistes investis sur la durée dans telle ou telle association dépassant par sa taille le groupement informel de trois ou quatre membres actifs sont à peu près inconnus au bataillon, bien qu'il y ait eu quelques signes contraires au cours des derniers mois, à confirmer avec le temps.

Sur le plan de ma psychopathologie personnelle, l'expression « compagnon de route » m'évoque par ailleurs un vague parfum désuet des années 1960 et 1970, l'expression ayant été utilisée pour désigner une frange de personnes en marge du Parti. Je revois mentalement des photographies, aux couleurs délavées par le temps, de ces intellectuels parisiens dont aujourd'hui plus personne ne sait le nom, la posture hiératique figée, la main sur le petit foulard rouge bien mis en évidence sur la chemise. Et la fameuse, terrible question d'alors : « D'où tu parles ? » On la pose encore, dans certains cénacles. Dans les réunions formelles sur l'autisme – dont les deux seules missions effectives sont d'une part de présenter un nouvel interlocuteur officiel, qui en général n'a nul intérêt pour l'autisme et sait, comme les autres participants, qu'il sera remplacé prochainement, et d'autre part de revoir le gratin de l'autisme, un groupe de gens, toujours les mêmes –, en les entendant débiter leurs titres et charges, on la remplace par la simple invitation à se « présenter ». Ce qui revient toujours au sinistre « d'où tu parles ? » Compagnon de route, voilà l'une des rares (non-)réponses laissant une certaine liberté.

Le charlot, le bouffon et l'autiste

En vérité, il existe une bien meilleure réponse à la fameuse question. Une réponse qu'une personne rencontrée récemment utilise, à laquelle je n'avais pas pensé, et dont hélas je ne peux me servir sans mentir : « marionnettiste ». Comment, après tout, mieux reconnaître la nature du petit monde de l'autisme que de lui redonner sa place première, au sein des arts du cirque ?

Incapable de manier les marionnettes, me restent les marottes et le rôle de bouffon. C'est dans ce rôle que j'ai connu mes plus grands succès. Imaginez donc la scène : vous êtes, une fort longue journée durant, dans un fauteuil certes capitonné, à entendre les exposés monotones successifs de professeurs et docteurs invités à parler car ils étaient déjà là l'an dernier, et, chose qui n'est pas dite, mais que tout le monde sait, car leur conjoint est le cousin de celui qui remplit la caisse de l'association organisatrice présidée par la tante de l'ami, et dont les comptes sont certifiés par l'époux de la fille d'icelle. Devant conserver votre sérieux, vous ne pouvez pas dire clairement que vous n'attendez que le moment où tout cela prendra fin. Et, préfiguration de cette fin tant attendue, vient le clou du spectacle : juste avant que les portes de la salle ne s'ouvrent enfin, les grilles de l'arène s'entrouvrent et entre en scène la Vénus hottentote, pardon, plutôt son inverse, le maigrichon « autiste savant », selon les termes d'un présentateur.

Rassurez-vous, je connais mon (d)rôle. Je sais que le plaisir des gens fatigués ne tient que quelques minutes. Il faut être bref. Cela tombe bien, les organisateurs du colloque n'ont laissé que quelques instants au « témoignage de Josef », en fin de journée sur le planning. Le temps de quelques boutades. Surtout ne pas oser expliquer un point de vue sur l'un des sujets traités − cela est réservé aux savants qui se sont succédé à la tribune, la réprobation serait unanime. Ironiquement, je crois que ce qui passe le mieux sont les propos incohérents, grammaticalement décousus et dénués de sens. L'auditoire y voit-il quelque parole profonde ? Une preuve de la pathologie des autistes ? Un signe de sa propre grande sagesse, mise en lumière par le contraste avec l'incapacité du mis en scène ? Peu importe. Les gens seront contents, on vous félicitera pour votre propos et on fera du bruit en cognant violemment les extrémités des avant-bras (de loin les deux moments les plus stressants de tout le numéro). Avec un peu de chance, on vous remboursera vos billets de train, et parfois, ô miracle, quelques piécettes viendront garnir votre poche vide, de quoi déguster un « Banania − Y'a bon » bien mérité.

Deux regards sur l'autisme

Mais chut ! Tout cela ne saurait être dit aussi brutalement. Il faut le reformuler un peu autrement, pour que le propos passe. Pour que le discours « questionne ses fondements épistémologiques », comme on dit dans le jargon des sciences humaines. Pour qu'il « articule les niveaux d'interaction des synergies en présence et appréhende de manière proactive les mutations globales en cours », comme on disait à Sciences Po quand on ne savait plus quoi dire. En d'autres termes, à moi d'exposer à présent, de manière moins anecdotique, pourquoi on peut dire que l'on peut poser au moins deux types de regard sur l'autisme.

Le premier pourrait être appelé le regard scientifique. Il est celui qui émane des autorités instituées en la matière. Ses textes sont publiés dans les revues spécialisées. Leur signe distinctif est d'être, grouillants de sigles et de références, incompréhensibles pour la majorité des lecteurs. Et même parfois, de son propre aveu quand vous l'interrogez en tête à tête, pour son auteur lui-même. On y apprend plus comment telle mitochondrie réagit face à telle molécule que comment accompagner ou aider un enfant autiste.

Le second regard est celui, non scientifique, du narrateur, de celui qui raconte – j'allais dire du conteur, colporteur ou griot, mais cela pourrait être mal compris. Les deux discours ne sont pas, à mon avis et tout bien considéré, si différents que cela. À commencer par le fait qu'ils sont tous deux souvent impossibles à prendre en défaut, chacun affirmant une chose et son contraire. Leur vocabulaire est certes fort différent, tout comme les sous-questions qui sont effectivement traitées. Le ton pareillement, beaucoup plus sec dans le premier. Cela étant, je ne crois pas qu'il soit correct de les opposer tant ils se rejoignent. Je repense à cet ami linguiste, spécialiste en dialectologie : entre ce que racontent les petits vieux dans les campagnes et l'article universitaire, en apparence la différence est diamétrale. Toutefois, celui-ci naît de la fréquentation de ceux-là, dans l'écoute et le dialogue. Un article de recherche en dialectologie qui surgirait indépendamment de tout dialecte étudié serait gribouillis de fou. Hélas, il en est de nombreux aussi bien en dialectologie qu'en sciences de l'autisme.

Le dilettante et la carrière

Inutile de préciser lequel des deux regards est le mien. Il ne peut en être autrement, puisque je n'ai jamais fait d'études ni sur l'autisme ni en psychologie ni dans un domaine apparenté.

Cela donne lieu à plusieurs anecdotes plus ou moins amusantes. Certains pensent que je connais parfaitement la littérature sur l'autisme, que j'ai tout lu, et ils me posent des questions en conséquence, auxquelles je suis bien entendu incapable de répondre. D'autres, peut-être les plus nombreux, le croient dur comme fer, avec un tel niveau de confiance qu'ils ne vérifient même pas leurs hypothèses de départ ; il arrive ensuite que des personnes, qui me connaissent et que je connais depuis des années, apprennent au détour d'une conversation que je n'ai quasiment rien lu en matière d'autisme : passé le premier moment d'étonnement où ils croient soit avoir mal compris, soit avoir affaire à une plaisanterie, ils sont fort dépités ou courroucés.

Il y a un autre motif de mécontentement, de la part d'une catégorie assez spécifique d'acteurs de l'autisme, ceux que l'on pourrait nommer les professionnels passionnés par l'autisme : le fait de se rendre compte que je ne partage pas nécessairement leurs centres d'intérêt. Il est des gens, souvent mus d'excellentes intentions, et parfois (mais il ne faut pas le leur dire) ayant quelques traits autistiques eux-mêmes, qui passent le plus clair de leur temps à bouquiner sur l'autisme, à passer des tests, etc. Pour eux, il est incompréhensible que l'on puisse ne pas se passionner pour l'autisme en tant que discipline académique. Un ami professeur, auteur de nombre de publications scientifiques sur l'autisme, me demande chaque fois que nous nous voyons si j'ai passé tel ou tel test ; quand je dis que non, il est fort gêné. Le fait que je lui aie donné la même réponse lors de notre rencontre précédente est visiblement soit oublié, soit refoulé parmi les souvenirs absurdes, impossibles et improbables, donc à écarter.

Il est d'autres personnes, certes plus rares, qui ont compris l'affaire, et veulent m'aider à ne plus être dilettante. Ils me proposent, souvent avec beaucoup de gentillesse, tel ou tel ouvrage à lire. C'est grâce à eux que j'ai pu découvrir quelques rares ouvrages sur l'autisme. Et que je peux, en cas d'extrême nécessité, face à un public, donner deux ou trois noms pour paraître savant.

En fait, il me serait sans doute assez simple de devenir un peu plus savant, au moins en apparence : il faudrait que je passe mes grandes vacances avec une pile de bouquins sur l'autisme, me fasse quelques fiches sur les auteurs à la mode, retienne quelques phrases-clefs, celles que nul ne comprend en général et qui donc passent pour les plus frappantes, et ensuite que je fasse carrière, fort de cet éminent savoir.

Ce processus de devenir-sage pourrait s'agrémenter d'une dimension supplémentaire : comme chacun sait, l'autisme est traversé par de nombreuses luttes intestines, dont la guéguerre psychanalyse/anti-psychanalyse n'est pas la moindre. Héraclite disait dans ses *Fragments* – désolé si je déforme et simplifie sa pensée – que le conflit, père de toute chose, faisait de certains des rois, des esclaves ou des hommes libres : rien n'a changé depuis ces époques lointaines. Il faut donc, comme certains de mes amis – d'ailleurs, à une ou deux exceptions près, des gens sans autisme –, s'improviser général, sonner la charge, et espérer qu'à défaut de victoire finale (qui est, convenons-en, une catastrophe pour les militaires, privés de raison d'être), on amènera à soi quelques brigades et que l'on sera promu officier. Parfois, faute d'ennemi palpable, l'expédition s'embourbe dans les marais ou se transforme en pantalonnade. Les plus habiles, illustres élèves de Potemkine, savent se créer des ennemis en carton, ou, comme disait Mao, des tigres en papier que l'on fait rugir en se plaçant derrière eux, et qui tiennent jusqu'à la prochaine pluie. Ce sont mes spectacles préférés.

Étiquettes, identités

L'un des points où la différence est, je crois, la plus nette entre l'approche scientifique et la mienne concerne les étiquettes au sein du spectre de l'autisme. Les médecins et chercheurs distinguent toutes sortes de sous-catégories. La terminologie est fort riche : autisme de Kanner, autisme classique, autisme déficitaire, autisme dit de haut niveau, syndrome d'Asperger. Sans oublier la catégorie la plus savoureuse, à savoir les troubles autistiques non spécifiés. Que faut-il entendre ? Est-ce un diagnostic des troubles du patient ou un aveu d'échec savamment maquillé du médecin, lorsque le diagnostic se nie lui-même ? Quel dommage que Molière ne soit plus parmi nous ! D'une certaine manière pourtant, il s'agit là du seul diagnostic valable, attendu que nous devrions être collectivement diagnostiqués « non spécifiés ».

Quoi qu'il en soit, j'éprouve toujours un certain malaise face aux délimitations, aux sous-catégories trop rigoureuses. La plupart des personnes avec autisme rentrent à la fois dans deux, voire trois sous-catégories. Et les sous-catégories fluctuent suivant les modes académiques, voire même le tempérament personnel de chaque médecin. Les terminologies ne sont jamais neutres : si on dit par exemple « autiste de haut niveau », l'expression « haut niveau » présuppose l'existence d'un « bas niveau », en somme d'un plus bête que soi grâce auquel on se sent supérieur. Et l'expression « haut niveau » est une traduction problématique de l'anglais *high functioning*, que l'on pourrait rendre par « qui se débrouille bien ». La traduire par « de haut niveau » reflète tout un univers culturel, largement tiré de l'état d'esprit de la salle de classe, qui semble tant marquer ce qui se passe en France. Pourquoi l'autisme en tant que tel devrait suivre ces lignes de clivage culturel propres à leur théoricien ? En anglais, « bien fonctionnel » s'utilise pour toutes sortes de choses : par exemple des personnes avec trisomie 21 qui ont la chance de suivre des programmes efficaces dès leur enfance et peuvent ensuite être incluses dans la société ou même à l'université, ce qui commence à se produire, sont désignées comme telles. Sans pour autant que leur spécificité soit nécessairement due à quelque arrangement génétique, ou qu'il y ait une sorte bien déterminée de catégories au sein de la trisomie 21. Ainsi, de l'usage anglophone d'un terme dans le domaine de l'autisme, suivi par sa traduction en français, il ne faut pas déduire qu'une catégorie médicale existe *ipso facto*.

Le signe qui ne trompe pas quant à l'aspect éminemment variable des classifications, ce sont les fluctuations de la classification officielle elle-même. Le DSM, ou manuel de diagnostic des troubles mentaux, qui émane des psychiatres américains, prévoit dans sa prochaine édition la mise à l'écart du syndrome d'Asperger. Les troubles du spectre autistique seront redécoupés autrement. Tout cela suscite naturellement des conflits, des luttes d'intérêts entre différents groupes. Aux États-Unis, des associations et des professionnels, maintenant, combattent pour que l'appellation « syndrome d'Asperger » soit maintenue. Des personnes connues avec syndrome d'Asperger protestent contre ce qu'elles tiennent pour une relativisation de leur identité.

À titre personnel, les questions terminologiques m'évoquent toujours ce congrès d'astronomes de l'Union astronomique internationale qui, en 2006, avait décidé que Pluton n'était pas une planète. J'ignore quelle fut la réaction de l'astre concerné. Probablement cela n'a-t-il en rien affecté sa situation effective. Que l'association des psychiatres américains appelle tel syndrome d'une manière ou d'une autre, le fusionne avec tel ou tel autre, et le mette dans une rubrique appelée comme ceci ou comme cela, en toute rationalité, qu'est-ce que cela change quant à l'identité personnelle ? Passe encore pour les questions administratives, pour savoir quelle case cocher sur un formulaire officiel ; mais là, je ne crois pas que les votes des psychiatres américains aient un impact sur les cases à cocher, ou plutôt sur l'absence de case.

En somme, j'ai toujours une grande méfiance envers les cases, les appellations en général, et j'ai toujours du mal à m'identifier – pour être provocateur – à un diagnostic unique. Je ne pense pas qu'on puisse réduire un être humain à un diagnostic, qu'il soit réel ou non. A-t-on le droit de dire par exemple « Monsieur Cancer » ? Les associations concernées se battent contre cet abus de langage. N'allons pas, sous prétexte d'autisme, à contresens.

Combien d'autistes ? Et autres paradoxes

L'autisme a ceci de particulier que non seulement ses classifications divergent, mais également les chiffres de sa prévalence. Et ce n'est pas qu'une question de décimales. Depuis quelques décennies, toutes sortes de valeurs numériques ont été avancées, depuis les plus faibles, comme par exemple une personne sur dix mille, jusqu'aux plus élevées. Un consensus, sans doute momentané, s'est établi autour d'1 sur 150 ou 1 sur 166. Mais déjà des groupes, notamment anglo-saxons, poussent à augmenter la prévalence, jusqu'à près d'1 sur 80, voire au-delà. Chacun des scores émane d'une étude et chacun, pour ainsi dire, est utilisé par une chapelle donnée. Les querelles absurdes sont multiples entre les tenants, par exemple, du 150 et du 166.

Il y a, de toute évidence, une part de mystère derrière cette inflation des scores. L'explication la plus répandue fait appel à la thèse de la mauvaise prise en compte de l'autisme dans les statistiques anciennes, aboutissant à sa dramatique sous-évaluation. Toutefois, ces dernières années, plusieurs travaux ont exploré la piste d'une augmentation effective des prévalences de l'autisme, avançant chacun des pistes d'explication, depuis l'influence des vaccins jusqu'à d'autres sortes de pollutions. Pour le moment, en France, il n'y a pas encore d'étude faisant autorité.

J'ai pu assister en spectateur à bien des discussions autour de ce sujet. Je ne le crois pas essentiel. Il reflète plus à mon sens les présupposés contenus dans les classifications et leurs critères que la réalité. L'autisme, en tant que catégorie médicale ou sociale nécessairement construite, ne peut refléter qu'imparfaitement le réel, car il n'y a aucune raison de croire, sans démonstration solide d'un théorème aussi riche d'implications, que le réel se plie à nos classifications mentales.

Il en est de même pour la question de l'origine génétique, sociale ou autre de l'autisme. La génétique, la sociologie, comme les autres disciplines, n'existent pas en elles-mêmes, mais sont issues d'un très lent réarrangement des facultés, des multiples rivalités entre chercheurs et enjeux politiques à la clef. Pourquoi vouloir que le réel suive ces lignes de clivage propres à nos universités, dans ce qu'elles ont de plus irrationnel et fluctuant ? Cette remarque n'implique pas un relativisme général ; plutôt une prudence dans l'usage de notre savoir et la reconnaissance de ses limites.

Autre querelle de chiffres, qui pour une fois semble moins virulente en France que dans les pays anglo-saxons : la proportion de garçons et de filles au sein du spectre de l'autisme. Les divergences entre les scores sont là encore assez extraordinaires, depuis quelque chose comme douze garçons pour une fille jusqu'à la parité parfaite. Les ouvrages de témoignage, notamment en anglais, sont, bien que je n'aie pas de chiffres précis, à mon avis majoritairement féminins. Face à de tels écarts entre les données issues des laboratoires de recherche, on pourrait croire à la présence de charlots cachés en leur sein. Ou y voir, à nouveau, un exemple de l'impact des considérations sociales plus générales dans lesquelles l'autisme, qu'on le veuille ou non, se situe. Il est manifeste, même si jusqu'à présent je n'ai jamais entendu qui que ce soit le dire ainsi, que l'autisme, lorsqu'on le valorise très positivement comme c'est le cas chez une partie des praticiens anglo-saxons, ne saurait être machiste et accorder dramatiquement ses faveurs aux hommes plutôt qu'aux femmes. Les tenants d'une répartition paritaire de l'autisme avancent le concept de la non-détection des filles : les femmes avec autisme soit se fondraient plus facilement dans la masse, soit seraient négligées par les praticiens, soit leur autisme ne serait pas reconnu en tant que tel, avec ses particularités. Je suis bien entendu incapable d'apporter une réponse valable, faute d'éléments ; je ne peux que souligner l'implication dans l'autisme de considérations sociales plus générales. Une preuve, soit dit en passant, de la non-séparation hermétique entre la « planète autiste » et la « planète Terre ». La discussion n'en ouvre pas moins des perspectives intéressantes : l'autisme doit-il être défini en tant que particularité médicale ou en tant que gêne sociale ? En d'autres termes, peut-on être autiste et n'avoir aucun signe distinctif, aucun trouble social, un peu comme la « folie sans signes apparents » de la psychiatrie de l'URSS ? Si l'autisme est avant tout cette petite flamme secrète que nul ne voit, comment peut-on être sûr qu'elle ait été perçue par celui qui a fait le diagnostic ? Quitte à pousser l'argument à l'extrême, l'autisme serait-il une conviction intime, un peu comme le fait de se définir chrétien ? Une telle assertion ferait scandale en France ; elle est pourtant à peu près clairement formulée ainsi par certains aux États-Unis. L'augmentation des prévalences de l'autisme n'y est sans doute pas étrangère.

Si, à l'inverse, on fait primer le critère social, à savoir les échecs de la personne dans la société, l'autisme deviendra une nouvelle dénomination pour les exclus du système. Le plus troublant est qu'il en est ainsi pour tous les handicaps ou presque : pour des raisons mystérieuses, la prévalence des handicaps, même ceux qui ne sont pas dus au mode de vie et ceux qui sont objectivement quantifiables, est bien plus forte dans les classes sociales défavorisées que l'inverse. Nos catégories conceptuelles ne sont pas étanches et ne sauraient l'être.

Pour le dire autrement, et de manière quelque peu provocatrice, l'autisme, si on fait primer le critère social, devient corrélé au décalage entre les promesses sociales explicites et la réalité vécue. Si la société promet bonheur, longue vie, santé, bon salaire, et que je n'ai rien de cela, et si l'autisme est défini par le trouble social, comment pourrais-je ne pas être au moins un peu autiste ?

Ces questions douloureuses ne reçoivent aucune réponse ici, à peine une ébauche. C'est fort regrettable. Mais que faire quand peu les ont abordées ? Il est autrement plus confortable de se barricader derrière l'idée d'une parfaite caractérisation médicale de l'autisme, plutôt que de s'aventurer dans les sables mouvants où l'autisme est reconnu comme miroir de la société, de ses enjeux et de ses problèmes.

Un lourd passé

Mais d'où diantre tire-t-il des jugements aussi aberrants ? Telle est peut-être l'interrogation qui en ce moment même vous préoccupe. Elle est légitime. Mais j'en ignore la réponse. Peut-être qu'au sein du récit qui suit vous trouverez les éléments nécessaires à l'analyse de ma psychose infantile, comme on dit parfois, non sans un brin d'ironie.

Il y a longtemps déjà, alors que quelques comprimés de neuroleptiques traînaient encore dans mon cerveau, une association m'avait demandé de participer à des rencontres autour de l'autisme. La première fois, ce fut particulièrement terrorisant. Quand les autres parlaient, j'étais assis dans un coin, tétanisé, convaincu que l'avancée de l'heure allait seule me sauver.

Cela se passait dans un restaurant à Paris, cadre difficile s'il en est. Quelques éléments de repère peuvent s'avérer utiles pour dresser un parallèle. Je parle peu d'un pan de ma vie, qui fut majeur à une époque, avant de retomber à presque zéro, au rang des souvenirs d'un monde disparu : ce fut mon passage dans les associations de QI. Pendant mon année en Allemagne, en 2000-2001, j'avais passé un test d'admission à l'association internationale Mensa, qui regroupe des personnes ayant, ou croyant avoir, un score intellectuel dans les 2 % supérieurs, comme ils disent. Comprenez : les gens les plus intelligents, géniaux et modestes que la Terre ait jamais portés. Je n'y suis resté qu'une année, me contentant essentiellement d'activités sur Internet. Ma seule activité non virtuelle a été ma présence silencieuse à une assemblée générale de Mensa France. Expérience particulièrement stressante, traumatisante, qui sera, lors de mes premiers contacts avec les associations de l'autisme quelques années plus tard, mon seul point de référence associatif.

Revenons au restaurant, lieu de plaisir pour beaucoup. Comment faire comprendre ce qu'il représente pour une personne avec autisme ayant peu de compétences sociales ? Déjà, y entrer est tout un défi. Vous arrivez devant le bâtiment après, bien sûr, vous être perdu à maintes reprises dans les rues de votre ville natale. Alors vous vous dites · « J'y vais ou je n'y vais pas ? » Le ballet des gens qui entrent et qui sortent, clients et employés, continue. À quelle seconde dois-je pousser les portes ? On m'a dit d'être là à dix heures – mais le « là » désigne la place devant le restaurant ou la salle elle-même ?

Puis-je venir cinq minutes avant ? Cinq minutes après ? Que me dira-t-on dans l'un ou l'autre cas, et que dois-je dire, moi ?

Quand enfin vous poussez la porte, vous devez trouver le groupe qui est venu pour l'événement ; mission d'autant plus compliquée que la plupart des gens arrivent en retard. Vous cherchez donc vainement le groupe et cela ne fait qu'augmenter le stress, rendre tout comportement rationnel problématique.

Quand vous êtes en face du bon groupe, que dites-vous ? Tout le monde discute, vous ne connaissez personne. Doit-on rejoindre silencieusement les rangs ? Interrompre les gens ? Si oui, par quelle formule ? Leurs conciliabules sont-ils le bavardage formel de la réunion, ou est-ce que c'est quelque chose de préliminaire ? Parfois il n'y a pas de différence nette entre les deux. Inutile d'ajouter que la première fois, c'est très compliqué.

Mais peu à peu j'ai appris certaines choses. Lors de ma deuxième ou troisième fois, j'avais interrogé, dit une petite phrase pendant la réunion. Ensuite, assez rapidement on m'avait demandé de faire une présentation sur l'autisme. Je ne suis pas du tout un nageur habitué des piscines, mais je crois que c'est un peu comme quand on est poussé dans l'eau.

Ma première intervention avait été filmée et mise sur Internet – pas par moi, et sans mon autorisation, naturellement –, et elle y était restée pendant un certain temps. J'étais un peu forcé de découvrir l'autisme en en parlant. En rencontrant les grands auteurs de ce petit monde qui intervenaient pendant la même journée.

Les choses ne tardent pas à se compliquer, parce que beaucoup d'enjeux s'entremêlent. À la fin de la conférence, il y a toujours des gens qui viennent vous voir. Qu'est-ce que vous leur dites ? Comment réagissez-vous à leurs compliments ? Il y a plusieurs aspects dans une présentation, un exposé sur l'autisme. Il y a le moment où on baratine : à mon avis c'est l'un des moins difficiles, parce que quand on se fait une idée à peu près précise de ce qu'on va raconter, que cela soit sur la culture des patates au Turkménistan oriental ou sur l'autisme, finalement on peut se préparer et parler ; j'avais eu un certain nombre d'entraînements à Sciences Po à cet égard ; ou même quand j'étais gamin, mes parents me laissaient parler d'astronomie et d'autres sujets. J'avais déjà une certaine habitude.

Ce qui est beaucoup plus difficile, c'est avant et après. Avant, parce que vous devez venir dans tel ou tel endroit. Affronter les contacts avec les gens, souvent des inconnus, qui attendent mille merveilles de votre propos. Les mieux intentionnés essayent de vous déstresser, par une méthode qui ne fait qu'augmenter le stress. Pour leur faire plaisir vous devez faire semblant que cela marche. Et vous vous dites : je dois être encore plus anormal que prévu, parce que les méthodes, les petites phrases qui sont censées calmer le stress ne marchent pas pour moi.

Autre problème : à quelle heure et comment devez-vous venir exactement ? Si vous avez, par exemple, une conférence à 19 heures, quelle est l'heure effective de votre présence que cela implique ? Il y a une petite anecdote que je ne résiste pas à raconter. Récemment, j'étais dans les studios de France Culture pour une émission qui devait commencer à 14 heures précises. Une des deux personnes qui devaient m'interviewer est arrivée en courant à 13 h 58 et 40 secondes L'autre intervieweur, qui était déjà là, a dit en rigolant à celui qui arrivait : « Ah, tu es en avance aujourd'hui ! C'est pas dans tes habitudes ! » Alors que moi, on m'avait demandé d'être impérativement là à 13 h 30 au plus tard. Faut-il comprendre que pour être un habitué de la maison on doive mépriser les instructions de la maison? Les conférences, elles, ne commencent jamais à l'heure. Donc si l'horaire théorique de début est 19 heures, on peut très facilement arriver à 19 h 15, voire plus tard encore.

Il peut paraître un peu mystérieux que je ne fasse apparemment pas l'effort de venir un peu en avance quand je le peux. C'est ce que je faisais au début. Mais soit je trouvais porte close, d'où la conviction stressante d'avoir été oublié ou de m'être trompé de lieu, soit j'étais entouré de gens exigeant de moi une conversation informelle – que je sais mener de mieux en mieux, il me semble, mais tel n'était pas le cas il y a quelques années.

Autre question : que mettre dans son sac ? Au début, je prenais un peu de tout : des sandwichs, des boissons, deux parapluies parce que le premier peut se casser, et ainsi de suite. En apparence, plus vous êtes équipé, mieux cela vaut, à ceci près qu'un sac horriblement lourd peut être la source de bien des tracas.

Ces temps-ci, lors des conférences, je me sens beaucoup moins anxieux qu'avant. Une bonne chose en apparence, pourtant je me sens quelque peu coupable car je me dis que, sur le plan éthique, il faudrait être anxieux avant les conférences. Ne pas l'être est quasiment une marque de je-m'en-foutisme ou de non-prise au sérieux des attentes des autres personnes. J'ai ce type de préoccupation, d'inquiétude.

Après la conférence vient l'autre moment : à quelle heure est-ce que vous pouvez partir ? Pouvez-vous abandonner un groupe de gens qui veulent vous parler ? Le mieux est quand vous avez un horaire impératif de train ; cela vous donne une justification géniale pour pouvoir tirer votre révérence. Mais ce n'est pas toujours le cas.

Un autre paramètre à prendre en compte est le nombre de personnes présentes. Il est très différent de faire une présentation à dix ou quinze personnes, et de faire une présentation à plusieurs centaines. Le type de comportement des gens évolue par seuils. Il y a un premier seuil, que je situerais de manière totalement empirique, non scientifique, à peut-être 25 ou 30 personnes ; en deçà, les gens se sentent encore individualisés, et cela peut créer une certaine gêne parce que, quand ils posent une question, ils évaluent d'abord les regards de chacun des autres présents. Et l'autre seuil, le seuil supérieur, pourrait se situer à 150, peut-être 200 personnes. Au-delà, on entre dans un système de meeting de masse, voire de star-system. Là, il n'y a plus de questions fonctionnelles, et en fin de compte j'ai l'impression qu'on n'est plus évalué sur le contenu de ce qu'on raconte, mais plutôt sur les bons mots que l'on fait. Il y a certaines blagues qui ne font rire personne lorsqu'on est en petit comité, par exemple les blagues sur les hommes politiques de très bas niveau. Mais devant un amphithéâtre plein, ce sont précisément les moments où tout le monde réagit. Quand un homme politique fait un discours, lorsqu'il dit des phrases dénuées de contenu, comme par exemple « Vive la France ! », c'est là où les gens applaudissent le plus. Pendant longtemps, j'ai été sceptique vis-à-vis des thèses de Gustave Le Bon, le tenant pour un ancêtre des sciences sociales, aujourd'hui dépassé. Actuellement, je me dis que, s'il a sans doute fait erreur sur plusieurs points, il a eu le mérite d'attirer l'attention sur des phénomènes bien observables[1]. Quant à moi, quand je sors d'un tel meeting, je me pose des questions. J'ai l'impression de ne pas avoir réussi à établir un lien humain.

---

1. Notamment la psychologie des foules.

Pourquoi continuer les conférences?

Voilà toute la question : pourquoi, après tout, je fais des conférences ? Je suis assez gêné parce que je n'ai pas de réponse convaincante ou unique. Loin des grandes envolées lyriques sur la nécessité de contribuer à la noble cause de l'autisme, je crois que la réponse pourrait être à rechercher au niveau microscopique, parmi les mécanismes concrets déclenchés par une sollicitation.

Typiquement, si je reçois un email où Untel me dit qu'à telle ou telle date il y a une possibilité de conférence, si je ne peux vraiment pas venir parce que j'ai déjà une autre obligation à ce moment-là, je refuse. Mais quand, en regardant dans mon agenda, par miracle il n'y a rien ce jour-là, je me sens tenu de dire oui. Ou du moins je n'ai jamais répondu « non » par commodité, pour autant que je sache. Je n'ai jamais essayé de le faire. Ce qui donc paraît comme un grand choix de vie, à savoir le fait de faire des baratins sur l'autisme, est plutôt une succession de petits moments et de comportements appris. Ce n'est assurément pas un choix optimal, tant à certaines périodes de l'année la fatigue est grande. Cela étant, pour le moment, je continue.

Il est difficile de savoir à l'avance si une conférence sera un bon moment ou pas. Cela dépend de facteurs qui sont, *a priori*, imprévisibles. En règle générale, plus il y a de monde et plus c'est difficile et frustrant, en fin de compte, plus cette forme étrange d'abattement que je ressens ensuite est forte. Quand le groupe est petit, il faut se plier aux attentes. Quand on parle, par exemple, à des professionnels de l'Éducation nationale, une certaine thématique sera dominante. Les parents, eux, ont souvent des questions très concrètes – et souvent d'ailleurs plus de réponses que je n'en ai moi. Un public composé de militants est souvent assez difficile : les questions d'ego ne sont jamais très loin, et chaque regard évalue, trie et classe. Les opinions politiques sont à fleur de peau. Établir des liens amicaux ou chaleureux est paradoxalement plus compliqué ; on peut nouer des liens de combat, mais pour cela il faut se livrer à des rituels d'alliance. Et partager la volonté de se battre contre un ennemi désigné.

Il n'en demeure pas moins qu'une interrogation majeure reste sans réponse : pourquoi des gens acceptent-ils de m'écouter pendant des heures ? Cela doit être fort désagréable d'être assis pendant tout ce temps à écouter quelqu'un qui parle d'une voix monocorde, avec un débit lent, qui raconte des petites histoires et délires personnels. Il y a là pour moi une part de mystère.

Quand les journalistes s'en mêlent

Ce n'est pas tout. À force de militantisme, chose imprévue au tout début, j'ai été confronté à une catégorie de la population dont j'ignorais tout : les journalistes. Cela a commencé par un souvenir touchant, celui de ma première radio, début 2007 : une émission sur Aligre FM, petite radio associative, au studio dissimulé dans un immeuble parisien. Un moment qui a encore renforcé ma sympathie pour les radios associatives, tenues par des passionnés indifférents à l'Audimat, et dont les studios, anarchiques, sont en soi un musée de l'inconscient humain.

Les choses ont viré à l'orage avec l'arrivée, peu après, d'un autre type de journalistes, ceux de la télé. Ils se déplacent généralement par deux, comme les cathares de l'ancien temps. L'un tient un petit tube que l'on met près de votre bouche, l'autre porte un tube plus gros, souvent sur trépied, qui rend les gens fous. L'interrogatoire de l'hérétique peut commencer.

En l'espace de deux ans – entre novembre 2007 et novembre 2009 –, je suis passé sur quasiment toutes les télévisions de France. Que cela paraît loin. Les passions que nos deux frères cathares suscitent sont aussi violentes qu'éphémères. Ces émissions n'ont amené pour moi quasiment que des ennuis : beaucoup de temps investi, beaucoup de stress, avec en retour beaucoup de jalousies, de rumeurs, de rivalités. L'une de mes déceptions était que les gens se souvenaient de ma figure, presque jamais de mon message : j'étais devenu, pour les gamins dans la rue comme pour le garagiste du coin, « le monsieur qu'on voit à la télé », fort rarement quelqu'un qui parle de l'autisme. Autre triste apprentissage, celui des coulisses du monde des médias. Le plus important ou marquant fut quand même celui du pouvoir de fascination qu'exerce le média télévisuel. Une fois, lors d'un reportage pour la télé, j'étais accompagné dans la rue par deux journalistes. À un moment, épuisé, je leur dis que je vais passer à la boulangerie m'acheter un petit quelque chose pour remonter mon taux de sucre. La boulangère est alors très sèche. À son habitude, sans doute. Pendant que je mange, nos deux amis, cédant à leur envie, arrivent à la boulangerie à leur tour pour acheter quelque chose. C'est alors que le triste miracle se produisit : changement complet d'attitude de la boulangère qui me regarde, et me questionne avec insistance : « Comment tu t'appelles ? Tu habites où ? » en me tutoyant d'emblée. Alors que je n'avais guère changé en une ou deux minutes. Pourquoi tout cela ? On se rend compte, finalement, à quel point il est des phénomènes irrationnels. Là encore, apprentissage certes perturbant, mais nécessaire. qu'autrement je n'aurais probablement jamais eu.

Il y en eut d'autres. J'essaierai de ne donner que quelques petites histoires. Certaines peuvent être considérées comme « résolues », c'est-à-dire que j'ai à peu près compris la morale de l'histoire, mais d'autres demeurent des énigmes. Dans la deuxième catégorie figurent les réactions flatteuses après chaque passage à la télé. Mais je peine à comprendre en quoi parler pendant une ou deux minutes à la télé constitue un exploit, d'autant plus que souvent le passage sélectionné au montage est celui qui vous paraît le plus décevant – un problème que je contourne en ne regardant pas mes émissions. Donc quand des gens me disaient que c'était bien, j'hésitais entre la posture franche, consistant à nier, ou la posture hypocrite, consistant à remercier pour le compliment. Avec en prime la nécessité de trouver une tournure qui ne soit pas juste une phrase stéréotypée.

Une autre petite histoire fort pénible mais à l'issue heureuse fut celle du taxi. Elle m'avait paniqué et hanté durant des mois. Je devais participer à deux émissions, une chez Delarue et une sur la pareillement défunte chaîne Direct 8, dont le point commun était de faire venir les invités en taxi. La première ne s'est pas faite, à mon vif et, vu la tournure ultérieure prise par les événements pour l'animateur, un peu lâche soulagement. La seconde m'a rendu anxieux pendant un bon moment. Je suppose que jamais la responsable n'avait envisagé que sa décision de me faire venir en taxi, qui était destinée, entre autres, à me faciliter la vie, pouvait m'inquiéter autant. J'ai vainement essayé d'imaginer des stratégies pour éviter ce moment-là. Ce n'était pas tant le taxi en soi qui était gênant, parce que j'en avais déjà pris à plusieurs reprises avec mes parents, que l'idée d'en déranger chaque fois un pour des questions de confort ou de snobisme. D'autant plus que le lieu de tournage était assez facilement accessible par les transports en commun. Et comment faire, concrètement, pour le prendre ? Comment me fera-t-il comprendre qu'il est là ? Et si je n'entends pas l'interphone ? Et si, et si… Finalement j'ai réussi à trouver une astuce : ayant fini par apprendre que d'autres gens que je connaissais s'y rendaient aussi, je suis allé chez eux le soir en question, et lorsque le taxi est venu les chercher, je l'ai pris avec eux !

Aujourd'hui, tout ce pan de mon passé est terminé. Cela fait longtemps déjà que les gens ne me reconnaissent plus dans la rue. Joie de la paix retrouvée ! Je n'ai plus aucune responsabilité officielle dans le monde associatif. Même si je continue, pour une durée encore indéterminée, à participer ponctuellement à tel ou tel événement – conférences, Cafés de l'association Asperger Amitié et autres. Compagnon de route, je chemine. En attendant le moment, impossible à prédire et pourtant inévitable où, soudain, brutalement, les rails qui filaient en parallèle s'écarteront et où, vu du train, je perdrai de vue en quelques secondes ceux qui furent longtemps à mes côtés.

Quelques réflexions sur l'autisme en France

L'autisme est un drame, en France, mais qui ou quoi crée le drame ? Est-ce l'autisme en tant qu'entité métaphysique ? De même qu'il y a les galaxies dans le cosmos, y aurait-il quelque part un astre sombre « autistoïde » qui rôde et qui envoie ses rayons sur Terre ?

Lorsqu'on prend la peine d'analyser réellement les drames vécus dans le monde autistique, peu sont directement rattachables à l'autisme en tant qu'entité massive et bien déterminée. Si un enfant autiste est déscolarisé, est-ce que c'est un drame du fait de l'autisme ? Si un enfant autiste est tabassé à chaque récré, est-ce que c'est un drame lié à l'autisme ? Faisons un parallèle avec le combat féministe qui défend l'idée qu'on ne puisse pas dire qu'une femme a été violée du fait de son apparence. La comparaison est peut-être un peu bancale ; toutefois, je crois que si un enfant, autiste ou non, se fait tabasser, il serait abusif de dire que cela est dû à l'autisme, ou à son autisme.

D'après ce que j'ai entendu dire, les programmes de lutte contre les drogues aux États-Unis font apprendre aux toxicomanes des phrases du type : « Je n'ai pas de problème avec la drogue, j'ai des problèmes parce que je prends de la drogue », et ce afin de détruire ou déconstruire le mythe d'une entité métaphysique qui planerait et qui expliquerait ceci ou cela. Je crois que dans le domaine de l'autisme comme ailleurs, à force d'utiliser certains mots, on finit par croire qu'ils sont réels. À force de dire : l'enfant autiste est exclu, on finit par croire qu'autisme = exclusion. Des mécanismes beaucoup plus brutaux et bassement humains sont à l'œuvre. Un enfant autiste est très concrètement exclu parce que tel ou tel de ses camarades trouve le type vachement « chelou », comme on dit en langage « djeun ». Pas par l'action de l'entité « autisme ».

Il faudrait également s'entendre sur qui est l'auteur de l'exclusion. Dans les études sur le racisme notamment anglophones, il est démontré que le racisme en Occident, du moins sous ses formes modernes, n'est pas réellement planifié, ordonnancé par je ne sais quel haut-commissaire aux questions juives, ni par un grand Satan, père de tous les racismes, qui aurait deux grosses cornes et la langue fourchue. Ce racisme est sans racistes affirmés. Il pourrait en être de même dans le domaine de l'autisme ; je ne pense pas qu'il y ait réellement de grand méchant qui centraliserait toutes les mauvaises actions et qui causerait la grande exclusion. Je pense que c'est la somme des petites actions qui, d'ailleurs, émanent même des gens les mieux intentionnés, même des gens pleinement engagés dans le domaine de l'autisme, à première vue totalement insoupçonnables. Pourtant, ils ont toute une stratégie de respectabilité, ce que j'appellerais une phraséologie bien rodée, qui leur donne une apparence crédible, ou digne. Digne au sens premier du terme, c'est-à-dire action qui correspond à la fonction attendue d'eux. Mais quand on prend la peine de passer plus de temps avec eux, on voit que leur réalité humaine n'est pas forcément celle-là.

Par ailleurs, tout ne se réduit pas à la dichotomie savoir-ignorance, le premier engendrant un comportement vertueux, la seconde l'exclusion des autistes. Il serait erroné de croire que les responsables médicaux et associatifs, parce qu'ils seraient impliqués dans l'autisme, seraient immunisés contre les clichés sur les personnes autistes. Sans même avoir à ressusciter les mânes des aliénistes du passé pour les interroger, à ceux qui en douteraient, je conseille vivement, un soir avant ou après une conférence, d'écouter les propos tenus par les éminents convives, notamment en fin de repas.

Cela étant, ce sont souvent les autistes qui m'inquiètent plus encore que les autres. L'affirmation relève d'une sorte de tabou. Les autistes sont censés être des entités parfaites, ignorant les errements irrationnels et excluants des non-autistes, appelés, terme que j'évite, neurotypiques (NT). L'expérience concrète du devenir des quelques rares initiatives associatives pilotées par des autistes montre l'inverse. Les mêmes luttes paroxystiques de pouvoir, les mêmes calomnies et médisances, quand ce n'est pas pire encore. L'explication donnée aux difficultés tient en ce qu'il y aurait des non-autistes infiltrés dans le groupe. Paranoïas et haines inexpiables assurées. Certains, notamment aux États-Unis, sont de véritables illuminés croyant à l'avènement imminent d'un monde nouveau sous le règne des autistes. Voire à la suprématie des autistes, entité nouvelle, espèce humaine enfin parvenue à sa perfection historique.

Il est, je le crois, fort important de ne pas être militant à temps plein, faute de quoi le sens des réalités s'estompe rapidement, et la cause poursuivie, obnubilant le cerveau en question, occulte tout le reste de l'univers.

Petites actualités de l'autisme français

Le propre de ce qui est présenté comme actualité est de ne plus l'être demain. Ainsi, les présentes seront sans doute fort dépassées une fois imprimées. Au moins les erreurs qu'elles contiennent sans doute, paraissant plus manifestes encore, prêteront-elles à sourire ! Ce qui n'est pas une mince victoire...

Dans les semaines ou les mois qui avaient précédé le choix de l'autisme en tant que « Grande Cause nationale » de l'année 2012, certains dirigeants associatifs, dont l'hostilité mutuelle de longue date était connue, avaient accepté de signer une déclaration commune. On avait aussi eu l'impression que les médias avaient commencé à avoir une attitude plus mûre ; qu'ils avaient abandonné tant l'approche misérabiliste (montrer la souffrance de l'autiste) que l'approche bling bling (montrer les aptitudes au calcul mental d'un certain nombre de gamins avec autisme). De petits frémissements, encore timides certes, mais qui faisaient plaisir à voir. On avait également espéré que des questions sérieuses, telles que le logement, allaient enfin être prises en compte. Il y avait eu un certain effort fait par les gouvernements successifs, et nous avions eu l'impression que nous allions enfin pouvoir agir.

C'était sans compter avec une succession de mauvaises nouvelles, à la fin 2011 et au début 2012. Le premier élément, sur lequel nul n'avait de prise, a été les élections à répétition, qui ont balayé, non seulement l'autisme, mais le handicap en général des préoccupations des médias. J'ignore ce que fera le nouveau gouvernement − pour le moment, la nouvelle secrétaire d'État aux personnes handicapées semble n'avoir aucune expérience et ne posséder qu'un intérêt restreint pour les questions du handicap, tout comme la plupart des membres de son cabinet. Un deuxième élément a été la réactivation d'une guerre qui dure depuis fort longtemps, que l'on a coutume de désigner comme la controverse entre la psychanalyse et ses adversaires. Son principal résultat, dans l'immédiat, sera probablement de donner une opportunité en **or** aux autorités publiques et aux mécènes pour ne rien entreprendre. Le troisième élément, sur lequel hélas nous avions une prise directe, a été la réactivation des querelles internes au monde de l'autisme. En quelques semaines à peine, la plate-forme semi-unitaire qui avait porté la Grande Cause nationale a volé en éclats. Les responsables ont essayé de tenir les difficultés secrètes, mais là encore, les autorités n'en ont que profité.

Je suis très mauvais dans le rôle de Madame Soleil. Je ne saurais dire ce qui va suivre. Probablement rien. Ma tristesse est que l'année dite de l'autisme est pratiquement finie, et que tout ce qu'on aura réussi à faire aura été de graver l'autisme dans la mémoire des responsables des labels nationaux comme sujet à éviter à tout prix et comme modèle d'échec à ne pas répéter. Et ce quel que soit par ailleurs mon pessimisme par rapport à l'efficacité générale du label « Grande Cause nationale ».

De la nécessité d'une approche pragmatique

Bien qu'ayant un goût certain pour les spéculations et les choses inutiles, je crois que le petit monde de l'autisme devrait adopter une attitude beaucoup plus pragmatique. Se fixer un agenda concret. Et cela ne pourra se faire sans un assainissement interne massif.

Prenons le déroulé de la vie de n'importe quelle personne avec autisme. Les étapes qu'elle parcourt, seule ou avec ses proches, représentent autant de sujets concrets à prendre en compte dans toute politique viable de l'autisme. Les discussions théoriques et les querelles de personne n'ont simplement aucun lien avec eux.

Dans l'exemple de la scolarisation, l'un des sujets que l'on aborde le plus souvent, ce qui devrait importer est la scolarisation *effective* des enfants. Mais on a privilégié les palabres sur la nature de l'autisme, les intérêts associatifs des uns et des autres. Et ce alors même que former les enseignants au profil spécifique de l'autisme, recruter les AVS (auxiliaires de vie scolaire, ou autre désignation analogue), aller à la rencontre systématique des écoles, collèges et lycées, etc., pouvaient, devaient se faire sans attendre les résultats d'amères tractations ésotériques – qui de toute manière n'aboutiront jamais tant que les protagonistes seront en vie.

Je crains que l'approche pragmatique ne puisse devenir réalité tant qu'un certain nombre de pratiques propres au petit monde de l'autisme n'auront pas été abolies. En soi, elles ne constituent pas une spécificité absolue : d'autres secteurs associatifs les ont eues. Ils ont dû accomplir leur mutation, non sans douleur – que l'on songe aux magouilles politico-financières dans les domaines du cancer, du sida, et d'autres encore –, pour devenir des alliés crédibles et rigoureux des autorités.

Des choses qui paraissent évidentes vues de l'extérieur, des standards minimaux de fiabilité sont incontournables, qu'on le veuille ou non. La liste interminable des associations engagées dans l'autisme, secteur médical excepté, se réduit à presque zéro quand on ne prend en compte que celles ayant connu un réel changement de dirigeants au cours de leur existence. Les présidentes et présidents à vie, de droit ou de fait, restent la norme. Quel que soit leur mérite par ailleurs, ces personnes, souvent, et c'est humain, représentent avant tout leur propre histoire personnelle, n'ont qu'une expérience limitée de la gestion associative, cantonnent leur association, souvent plus ou moins délibérément, à une taille très restreinte pour mieux la contrôler, et finissent, avec les années et le confort des situations acquises, par adopter des comportements qui violent toute éthique. Rares, très rares sont les associations non médicales qui tiennent effectivement une assemblée générale digne de ce nom, et dont les comptes ont une certaine réalité.

Si jamais une évolution est attendue sur tous ces plans, elle ne pourra venir que de l'extérieur. Des pouvoirs publics par exemple, qui devraient imposer à toute association une charte où figureraient notamment l'obligation d'un renouvellement des personnes au pouvoir, l'interdiction d'assumer la présidence pendant plus de quelques années, un contrôle effectif des budgets avancés, l'impératif de mixité des publics de l'association, y compris au niveau dirigeant.

Mais les personnes avec autisme doivent également trouver une place dans l'édifice. Il n'est pas normal que les associations, y compris parmi les plus grandes et les plus respectables, ne prévoient tout simplement pas la

présence de personnes autistes en leur sein, voire l'inter-
disent explicitement dans leurs statuts. Je me suis longtemps demandé pourquoi telle ou telle association avait
pris la peine d'inclure dans ses statuts un article excluant
les autistes soit du vote, soit du fait d'être membre. Que
pouvaient donc tant craindre ces puissantes associations du
minuscule vote d'une petite poignée de personnes autistes
lors d'une assemblée générale ? La mise en lumière des
anomalies de la situation et du fonctionnement associatif,
et la mise en péril du principe cardinal de l'immense
majorité des associations françaises dans l'autisme, à savoir
la primauté du récit familial personnel de la dirigeante ou
du dirigeant inamovible. Pareillement, je suis tout à fait
favorable à la présence, dans chaque association, jusqu'au
rang de présidente ou président, de personnes totalement
extérieures au domaine de l'autisme, ni professionnels ni
personnes autistes ni parents. Les quelques rares expériences menées dans cette direction s'avèrent plus que
concluantes.

De manière peut-être moins sérieuse en apparence,
je crois qu'il faudrait créer un Mediapart ou un *Canard
enchaîné* de l'autisme, pour en assainir les pratiques. Rien
que par le peu de chose que j'ai entendu ou constaté au
cours des dernières années, des rubriques entières pourraient être tenues.

Ma vision est certes assez sombre, tout en étant probablement assez idéaliste par la candeur des mesures proposées. D'un autre côté, en interrogeant les personnes
autistes, on peine à en trouver qui seraient d'un optimisme
béat. Normalement, c'est la désillusion, le maintien à l'écart
de toute association majeure ou constituée qui priment.

En guise de conclusion

Quelle singularité de l'autisme ?

Lie-Tseu, qui vécut il y a plus de vingt-cinq siècles, rapporte, dans le *Vrai Classique du vide parfait,* une petite histoire que je reformule avec mes mots. Le seigneur P'ang de Ts'in avait un fils, qui était devenu fou. Il percevait tout de manière inversée : ce qui était délicat parfum pour les autres était odeur nauséabonde pour lui, et ce qui était bon au goût lui paraissait immangeable. À la suite des conseils d'un ami, il part à la rencontre de « l'homme supérieur de Lou », en fait Confucius, que les taoïstes comme Lie-Tseu n'aimaient guère. En chemin, il croisa Lao Tan. Ce dernier lui tint à peu près ce langage : suppose que toute ta famille pense comme ton fils. Alors, le fou, ce serait toi. Qui peut juger de manière absolue de ce qui est appétissant, gai et beau ? Et l'homme supérieur de Lou, premier des insensés, comment pourrait-il guérir qui que ce soit ? Épargne-toi donc les frais du voyage, et rentre chez toi.

Les histoires chinoises sont souvent cruelles. La vie des personnes autistes l'est également. Et les siècles de sapience que nous avons supposément acquis depuis l'époque de

Lie-Tseu n'ont peut-être pas tant que ça bouleversé la donne.

Lorsque je suis seul dans ma chambre, je ne me sens pas autiste. Quand je sors dans la rue, je me heurte aux problèmes et aux difficultés. Dans mon univers intérieur, j'ai une liberté de réflexion, d'action et de pensée qui n'a rien de fondamentalement plus restreint que la pensée intérieure de n'importe qui. La difficulté se pose au moment où je tente de faire certaines choses extérieures qui réussissent ou échouent – qui échouent, généralement. Suis-je donc autiste tout le temps ? Quand je suis dehors ? Et si je ne sors plus de chez moi, serai-je encore autiste ? Si je séjourne dans un monastère bouddhiste, où les codes sociaux sont particulièrement rigides et n'exigent pas de longs bavardages, alors, à l'issue d'une phase d'apprentissage, peut-être serai-je plus à l'aise que d'autres et mon handicap de départ deviendra-t-il avantage. Ou encore, pour reprendre l'argument de Lao Tan : quand un non-autiste se retrouve en compagnie d'autistes, qui est à la peine ?

On objecte souvent à la thèse de la symétrie entre autisme et non-autisme le fait que le premier s'accompagne de graves déficiences, telles que l'absence de la parole, sans laquelle la vie est fort pénible. Sans vouloir remettre en question ce point, trois éléments me viennent à l'esprit. Premièrement, il n'est pas parfaitement établi dans quelle mesure l'autisme s'accompagne d'une absence définitive et non induite socialement de la parole : beaucoup d'enfants non verbaux ne sont pas autistes, et à l'inverse il y a sans doute eu des diagnostics de commodité d'autisme là où ils ne devaient pas être posés.

Deuxièmement, la question de la parole est socialement déterminée ; non loin d'ici, chez les anciens nomades de Karakalpakie, ou ailleurs en Asie centrale, jusqu'à il y a peu il était possible de mener une vie honorable, en tant que berger par exemple, en étant fort peu verbal. L'observation m'en a été faite par plusieurs personnes : de toutes les sociétés, l'une des plus excluantes pour les jeunes autistes ayant des déficiences pourrait bien être la nôtre, l'occidentale. C'est assurément un constat douloureux. Mais que dire à une maman qui, revenue de vacances d'été en Afrique avec son fils qui n'a en France d'autre perspective que de rester enfermé à vie dans un institut, vous annonce avec un grand sourire que son enfant était là-bas le roi du village et participait à tous les jeux des autres enfants ?

Troisièmement, les manques sont toujours très relatifs. Diderot, dans la *Lettre sur les aveugles*, qui au demeurant lui a valu la prison, compare l'absence de la vision de l'aveugle à la situation du moucheron, qui n'a pas de bras mais a des ailes. Objectivement, la plupart des gens ne ressentent pas le manque d'ailes pour voler, alors même que cela pourrait être fort utile. On pourrait allonger la liste des exemples : les non-fumeurs ne ressentent pas le besoin de fumer une cigarette, la plupart des hommes ne ressentent pas celui de tomber enceints et d'enfanter – ce qui perturbe souvent les femmes quand on évoque la question –, ou même, pour reprendre une phrase de Lévinas, le fait que les juifs ne ressentent pas le besoin d'avoir Jésus pour messie scandalise les chrétiens. Et il s'agit là de sujets plus importants que celui de la parole

Tout à fait par hasard, il n'y a pas si longtemps, j'ai croise une personne qui travaille en institut médico-éducatif (IME). Je lui ai posé une question un peu directe et provocatrice, je l'avoue : est-ce que, à son avis, il était bon que des enfants avec autisme se trouvent dans son IME ? Quel argument pouvait-elle donner pour qu'un parent d'enfant avec autisme y place son enfant ? Elle m'a répondu en avançant deux arguments. Premier argument : en IME, le cadre est beaucoup plus adapté à un enfant avec autisme qu'une école normale. Deuxième argument : l'enfant avec autisme est moins confronté à l'altérité des enfants non autistes qui sont dans une école ordinaire. Je m'attendais à ce type de réponse et je lui ai dit, de manière peut-être un peu méchante, que, en fait, le handicap de l'enfant avec autisme, ce sont les particularités des enfants non autistes. Il y a eu un moment de silence… Il est vrai que, dit aussi brutalement, cela est assez faux parce que trop caricatural, mais je crois bien que l'affirmation reste dans le vrai malgré tout. L'enfant avec autisme est placé en IME, non pas du fait d'une supposée déficience qui lui serait propre, par exemple microprocesseur très lent ou inapte à exécuter la plupart des tâches, mais simplement parce que les autres microprocesseurs ont un mode de fonctionnement qui est le leur et il vaut mieux que les deux soient séparés, qu'il n'y ait pas de contact trop étroit entre les deux. Cette raison, ce soubassement social, est traduite de manière médicale, et on dit : parce que l'enfant a un syndrome d'Asperger, un trouble envahissant du développement (TED), ou que sais-je, cela justifie tel ou tel comportement social à l'égard de l'enfant ou de l'adulte.

Ces gloses peuvent passer, lors d'une causerie amicale autour d'un thé ; en situation, en présence de parents d'un enfant avec autisme face à une autorité, qu'elle soit médicale, scolaire ou autre, on ne peut plus avoir ce dialogue déconstructiviste, si j'ose utiliser un terme à la mode. On est tenu de se conformer à un ensemble d'injonctions qui sont plus ou moins sous-entendues, mais d'autant plus brutes et dures. Avec toujours cette tentative d'essentialiser et de ramener tout à l'enfant avec autisme : c'est lui qui est autiste, et donc du fait de son autisme il faut faire ceci ou cela.

Le patient, la souffrance et son sauveur

Quand on marche dans les grandes villes occidentales, on est parfois abordé par un sympathique drôle de personnage qui nous propose de passer le fameux test d'Oxford – un test quelconque qui n'a naturellement aucun lien avec l'université d'Oxford. On le remplit, puis le monsieur ou la dame, fort courtois, nous invitent à une séance gratuite pour analyser le résultat. Dans un bureau, une autre personne dit sur un ton empathique et apitoyé : Ah ! mais vous avez tant souffert dans votre vie ! Comment est-ce que vous avez fait pour tenir ? Je vous admire. Vous ne pouvez pas rester tout seul ou toute seule dans votre souffrance, nous pouvons vous aider, nous pouvons vous proposer quelques lectures… Peu de temps après, vous vous retrouvez avec des livres de « Ron », comme on le surnomme affectueusement, entre les mains, et votre compte bancaire entre celles de l'Église de scientologie.

L'exemple est assurément brutal. Inadapté, dira-t-on. Il illustre je crois l'importance de la souffrance dans notre société, et l'aisance avec laquelle on peut faire usage de celle d'autrui pour en faire un exécutant de n'importe quel dessein. Dans le monde de l'autisme, plusieurs ont ainsi fait carrière, et soutiré de fortes sommes à des personnes en souffrance. Dans le domaine du handicap, en général, beaucoup d'associations se battent pour que l'on cesse de mettre en lien handicap et solidarité : l'approche caritative, si elle est plaisante vue de l'extérieur et même si elle est accomplie par une personne désintéressée, ce qui est loin d'être systématiquement le cas, ne mène que rarement à des solutions constructives. Hélas, le petit monde de l'autisme est, là encore, par rapport au handicap en général, en retard de plusieurs décennies sur le plan de la maturation mentale.

Il y a pire. La question de la souffrance pourrait être disjointe de bien des thématiques liées à l'autisme ; en d'autres termes, l'hypothétique cessation de la souffrance, pour reprendre l'expression des bouddhistes, ne résoudrait probablement qu'une fraction des autres problématiques. Pour le dire autrement : supposons que je souffre beaucoup ; si vous arrivez à lever ma souffrance, est-ce que cela changera réellement quelque chose pour moi au niveau de mes structures de fonctionnement, de mes particularités, autistiques ou autres ? Si vous vous cassez une jambe, vous prenez des antalgiques, mais la jambe restera toujours en l'état. Peut-être que, au contraire, c'est dangereux parce que vous pourrez être tenté de croire que votre jambe est guérie, ferez des mouvements qui ne feront qu'aggraver votre cas. La souffrance est présente, elle est très importante, mais est-ce que vous pouvez imaginer une vie humaine sans souffrance ?

Peut-être que ce long passage sur la souffrance surprendra. Sa finalité n'est pas purement spéculative. Je n'ai ni les aptitudes ni l'envie de dresser une nouvelle théorie de la souffrance. Elle est purement pratique. Car plus d'une fois, interrogé par des professionnels de l'autisme, j'ai été surpris de leur insistance sur cette thématique. À tel point que j'ai cru comprendre que la souffrance de l'autiste était une nécessité vitale pour le praticien. Dans les cas désespérés, c'est-à-dire sans souffrance, ce dernier aura parfois recours à l'argument irréfutable : vous souffrez tellement que vous ne vous en rendez même pas compte. Cela est possible, mais ôte la possibilité de toute discussion rationnelle. Et qui est fâcheux pour les personnes opérées sous anesthésie, qui ne se rendent même pas compte qu'on est en train de les découper.

Certains de mes amis ont une formulation encore plus brutale, et étendent le raisonnement à d'autres points que la seule gestion de la souffrance. Selon eux, le packing, les médicaments et autres méthodes de guérison de l'autisme sont des nécessités absolues... pour le praticien, son équilibre psychique et financier. Je le comprends en grande partie, je n'aimerais pas être dans la position du professionnel dont ont attend le salut, et qui n'a rien à proposer aux parents. Je laisse chacun juge sur le fond. J'aime pour ma part la petite phrase de Coluche, qui disait à peu près ceci : jadis, je faisais pipi au lit et j'étais honteux. Je suis allé chez un spécialiste, j'ai payé dix mille francs. Maintenant, je fais pipi au lit comme avant, mais j'en suis fier.

L'humour

Un jour, à la fin d'une conférence, une dame, fort étonnée, m'a demandé pourquoi j'avais raconté des blagues, alors que je n'étais pas censé savoir rire. Une autre fois, plus gênant, une maman m'a attaqué, en disant qu'on ne pouvait rire de tout, que rire de l'autisme gommait la gravité de la situation. Je suis désolé si mon numéro a offensé qui que ce soit. Mais je ne peux simplement pas vivre sans petites histoires. Peut-être ai-je manqué ma véritable vocation, celle de comédien, ou plutôt d'auteur de sketches. Je crois que l'être humain est celui qui rit, qu'on le veuille ou non. Il y a peut-être là une semi-constante anthropologique que, bien sûr, je ne peux pas démontrer.

Si je ne devais retenir qu'une chose des centaines d'adultes avec autisme que j'ai eu la chance de fréquenter, ce serait peut-être qu'ils ont beaucoup d'humour. Bien sûr, il faut le découvrir, prendre la peine de voir qu'il existe, qu'il est différent de celui que l'on connaît. Il faut accepter l'idée qu'il n'y a pas d'humour dans l'absolu, que nos petites blagues qui nous font rire ne sont ni universelles, ni les meilleures.

Pour donner un exemple : quand j'étais petit, je connaissais des centaines de blagues, sur les dirigeants soviétiques, sur la technologie soviétique, sur les espions soviétiques... Aujourd'hui encore, je pourrais raconter des dizaines de blagues sur Brejnev. À l'époque, les gens se tordaient de rire, même en France : Brejnev n'y a jamais régné, mais les gens connaissaient, ou du moins se doutaient, de certaines pratiques. À un moment, Reagan était devenu lui aussi fan des blagues soviétiques. Il en racontait pendant ses meetings, même très sérieux. Les gens adoraient. Aujourd'hui, cela ne marche plus ; les gens ne savent même plus qui était Brejnev. Ils ne connaissent plus ces petites particularités qui faisaient qu'on pouvait rire de lui. Quand je suis en présence de mes copines psychologues, mon répertoire de blagues est par conséquent fort restreint. Si je n'y prends pas garde, et si j'essaie de leur raconter une petite blague d'époque, elles le prennent pour un énième avatar du monologue pédant autistique. Heureusement que, vu mon âge, et vu que nous sommes amis de longue date, elles ne m'en tiennent pas rigueur. En revanche, je tremble en songeant à la situation où, gamin, j'aurais été amené en consultation et aurais voulu pour détendre l'atmosphère raconter une blague à ma sauce. Celle qui fait vraiment rire. Et celle qui, en fin de compte, fait douter de la répartition des rôles entre l'autiste et son sauveur.

L'être humain est complexe

Parfois, quand j'utilise l'expression « personne avec autisme », on me la reproche. On ne peut « avoir » l'autisme comme on a une montre, on peut « être » autiste. C'est donc un peu par provocation que je continue de dire « avec autisme », en l'alternant certes avec d'autres expressions. Non pas que je croie que l'on puisse avoir un jour l'autisme comme une valise (un parapluie, diront les psychanalystes et les amateurs de blagues psychanalysantes), et le ou la laisser le lendemain à la maison, mais parce que la simple allusion à cette possibilité met en lumière le fait que la personne, quoi qu'il arrive, dépasse de sa valise.

En somme, je crois que l'être humain est très complexe. Que l'on ne peut jamais le décrire par un seul critère. C'est pour cela que je ne peux me définir par l'autisme ; l'autisme est une de mes particularités, comme, par exemple, le fait que je mesure environ 1,95 mètre. La seule grille de l'autisme, à supposer qu'elle existe et soit unique, ne peut pas rendre compte de ma personnalité, comme elle ne rend compte de la personnalité de personne. Je me méfie des théories qui voudraient réduire l'être humain à un mécanisme d'horlogerie. Je crois que l'être humain est beaucoup plus composite, en mouvement. Ne l'enfermons pas, ne nous enfermons pas dans une case. Il nous en manquerait une.

Table

Composition et mise en page

NORD COMPO
m u l t i m é d i a

Cet ouvrage a été imprimé par
CPI Firmin Didot à Mesnil-sur-l'Estrée
pour le compte des Éditions Plon
76, rue Bonaparte
Paris 6ᵉ
en novembre 2012

Imprimé en France
Dépôt légal : novembre 2012
Nᵒ d'édition : 14888 – Nᵒ d'impression : 115828